DU MÊME AUTEUR

— CRISE DE PROPHÉTISME,
Montréal, A C C, 1965.

— LE MONDE ET LE SACRÉ,
2 vols, Paris, Ed. Ouvrières, 1967-68.

— VERS UN NOUVEAU POUVOIR,
Montréal, H M H, 1969.

— NATIONALISME ET RELIGION,
2 vols, Montréal, Beauchemin, 1970.

— STRATÉGIES SOCIALES ET NOUVELLES IDÉOLOGIES,
H M H, 1971.

— MODÈLES SOCIAUX ET DÉVELOPPEMENT,
H M H, 1972.

— SYMBOLIQUES D'HIER ET D'AUJOURD'HUI,
H M H, 1973.

— LE PRIVÉ ET LE PUBLIC,
2 vols, Leméac, 1974.

— DES MILIEUX DE TRAVAIL À RÉINVENTER,
2 vols, P U M, 1975.

— UNE PÉDAGOGIE SOCIALE D'AUTODÉVELOPPEMENT,
Editions internationales Alain Stanké, 1976.

— UNE PHILOSOPHIE DE LA VIE,
Leméac, 1977.

— UNE SOCIÉTÉ EN QUÊTE D'ÉTHIQUE,
Fides, 1977.

— QUEL HOMME ? QUELLE SOCIÉTÉ ?
2 vols, Leméac, 1978.

— AU SEUIL CRITIQUE D'UN NOUVEL ÂGE,
Leméac, 1979.

— L'ÉCOLE ENFIROUAPÉE,
Editions internationales Alain Stanké, 1978.

LA NOUVELLE CLASSE ET L'AVENIR DU QUÉBEC

ISBN 2-7604-0012-3

Dépôt légal : 2e trimestre 1979

Jacques Grand'Maison

LA NOUVELLE CLASSE ET L'AVENIR DU QUÉBEC

Stanké

TABLE DES MATIÈRES

INTRODUCTION

Au moment où le Québec et le Canada tout entier font face à des choix politiques très importants, il m'est apparu nécessaire de retracer les cheminements qui nous ont amenés à ce tournant difficile des années 80. J'ai voulu le faire dans une perspective particulière, limitée, mais non moins révélatrice de l'ensemble de notre situation. En effet, qu'on en arrive à un Québec souverain ou à un fédéralisme renouvelé, certaines questions de fond demeurent entières. Qu'allons-nous mettre dans cette maison rénovée ou cette nouvelle construction ?

On ne fait pas l'histoire *ex nihilo* (de rien), par exemple, en décrétant une autre constitution qui créerait une réalité entièrement inédite. C'est là une vision magique de l'histoire et de la société. De même, une politique ne s'établit pas uniquement en fonction des rapports externes, en l'occurrence, les investissements étrangers, les Etats-Unis, etc. Sur quoi peut-on miser à l'intérieur? Quelles orientations majeures la société québécoise a-t-elle suivies dans son organisation interne depuis la Révolution tranquille ? Quel bilan fait-on des réformes tentées, de l'Etat conçu comme levier central d'autodéveloppement ? Qu'en est-il des diverses forces « progressistes » qui ont joué dans cette première relance historique ? Et les résistances, les obstacles, les régressions, les accidents de parcours, les correctifs ?

Il me semble que toutes ces questions ne sauraient être étrangères au choix entre le statu quo, la souveraineté-association ou la « troisième voie », entre un néo-libéralisme économique, une formule socio-démocrate ou un socialisme plus ou moins révolutionnaire. Ces grands scénarios idéologiques survolent ou simplifient souvent une situation très complexe qui exige aussi d'autres approches.

Le syndicalisme, par exemple, continue de jouer chez nous un rôle historique en ce sens. Il nous interpelle sur la vie interne de notre société, alors que plusieurs ont la tentation de ramener tous les problèmes au rapport Québec-Ottawa. Certes, comme nous le verrons, ce même syndicalisme cède lui aussi à une tentation semblable. Son évolution est intéressante à un double titre: d'une part à cause de sa vocation historique très sensible à la structuration interne de la société et aux requêtes fondamentales de justice, et d'autre part, à cause de certaines orientations récentes qui révèlent d'immenses problèmes laissés pour compte dans les grands scénarios idéologiques.

J'ai donc tenté un premier diagnostic. *Bilan de la gauche et de la droite et perspectives d'avenir.* Etude que j'ai publiée dans *Le Devoir* pour susciter un débat de fond. Les réactions furent vives. Mais une fois de plus, plusieurs se sont empressés de quitter le « pays réel » pour retourner à leur propre ciel idéologique logique et sécurisant.

Plus j'avançais dans le débat comme dans ma propre recherche, je découvrais un phénomène majeur trop ignoré par les forces en présence, à savoir l'émergence d'une nouvelle classe constituée par les promus de la Révolution tranquille et par son explosion tertiaire. J'y voyais un biais très révélateur, parmi d'autres, pour une perception plus réaliste du pays réel face aux grands choix politiques du tournant historique actuel.

Que certains idéologues de chez nous ignorent, dans leur explication toute faite de la structure de classes, l'émergence d'une nouvelle classe dont ils font partie, voilà un indice entre cent d'un aveuglement non avoué. A gauche, à droite ou au centre, cette nouvelle classe ne s'est pas encore identifiée comme telle, et cela jusque dans ses conflits internes. Entre le syndiqué et le cadre de la nouvelle classe, les intérêts communs sont autrement plus importants que les oppositions idéologiques. Voilà une hypothèse à vérifier. Si elle fait vraiment partie de notre réalité politique, il est temps d'y voir clair. Surtout à cause des responsabilités majeures que la nouvelle classe exerce dans la vie interne du Québec contemporain.

Dans une deuxième étape, je voudrais soumettre cette hypothèse de travail à des vis-à-vis critiques d'ordre culturel et d'ordre structurel. Par exemple, que se passe-t-il au plan des orientations profondes de comportement, d'attitude, de sentiment qui agissent quotidiennement et souterrainement ? Nous en restons si souvent aux grands schémas idéologiques ou politiques. Voyez comment on répète les mêmes choses sur la structure de classes, sur la crise des valeurs, sur les faiblesses structurelles de l'économie québécoise.

Encore là, j'ai choisi des vis-à-vis critiques qui dépassent les idées reçues. Je pense, par exemple, aux stéréotypes de gauche ou de droite qui télescopent la complexité des rôles de l'Etat contemporain. Chez nous, la tertiarisation récente s'est alimentée à quatre sources différentes, mal articulées, et souvent contradictoires. Un domaine peu exploré, et pourtant si important pour comprendre le tournant actuel. Il en va de même de l'évolution des institutions et des nouvelles législations, des rapports inédits entre le privé et le public. J'ai fait du Code du travail le principal révélateur de ces mutations historiques, parfois très profondes, mais si souvent traitées superficiellement.

Quant à la structure de classes, j'ai voulu la réexaminer en réintroduisant le phénomène massif des classes moyennes que beaucoup de spécialistes persistent à ignorer. Un autre indice d'aveuglement idéologique. Pourtant, au beau milieu de la Révolution tranquille, certains esprits lucides, tel H. Guindon, avaient déjà pointé l'émergence possible d'une nouvelle classe dans la foulée de l'énorme secteur public en construction. Certains ont moqué ce point de vue au nom d'une grille marxiste qui écartait une telle éventualité. Or, Marx lui-même avait prédit pareil phénomène relié au rôle croissant de l'Etat moderne.

Je n'insiste pas ici sans raison, puisque la majorité de ceux qui posent les problèmes de fond en termes de classes persistent à ramener toute la question à la propriété privée des moyens de production face à une « communauté d'idéologie et d'intérêt de tous les travailleurs ».

C'est là une vision par trop simpliste des choses. Faut-il rappeler la démystification que Djilas leur sert dans la *Nouvelle classe dirigeante :* « La nouvelle classe tire son pouvoir, son prestige, son idéologie et ses moeurs d'une forme spécifique de propriété — la propriété collective — qu'elle gère et se distribue au nom même de la nation et de la société. »

Chez nous, les diverses branches de la nouvelle classe — libérale, nationaliste, syndicalo-socialiste — se disputent entre elles un pouvoir exclusif qui véhicule le même objectif explicité plus haut par Djilas. Que l'une se serve de ses alliances avec les pouvoirs économiques tout en s'y asservissant, que l'autre utilise la corde nationaliste, que la troisième se légitime comme le sauveur d'un prolétariat (qu'elle méprise !), c'est toujours le même jeu de base. Elles ont toutes en commun un même style de vie qui devient l'idéal à atteindre, sinon la norme de comportement et de revendication, particulièrement chez les classes moyennes.

Je ne veux pas enlever toute signification particulière aux diverses polarisations idéologiques actuelles, et surtout à l'immense défi de notre situation coloniale. Je sais aussi qu'il y aura bien des nuances à apporter dans la qualification des trois branches précitées de la nouvelle classe. Mais il est, par ailleurs, très important de mettre en lumière ce même jeu de base des anciennes et des nouvelles élites pour asseoir leur pouvoir sur le secteur public, principal lieu accessible pour accaparer biens et prestige dans un contexte colonial comme le nôtre. Jeu « interne » mal perçu dans la mesure où l'attention est portée presque exclusivement sur les pouvoirs « extérieurs », soit pour les dénoncer ou les combattre, soit pour les utiliser tout en s'y soumettant.

Pouvons-nous ignorer plus longtemps cet énorme trou noir sur l'échiquier actuel de nos grands scénarios politiques ? Une conscience historique minimale de ce qui est arrivé dans tant d'autres sociétés, devrait nous alerter. Combien de peuples sont passés d'une domination à l'autre, même dans le cadre d'une démocratie libérale ?

Mais tout ne se ramène pas à cette logique de pouvoirs. Nous vivons un moment historique d'une extrême complexité. Voilà pourquoi j'ai tenté d'élargir mon examen de la situation, par-delà ce révélateur privilégié (!) qu'est la nouvelle classe. Je l'ai fait dans la perspective de mieux cerner, non seulement l'ensemble de nos obstacles intérieurs, mais aussi les dynamismes internes capables de promouvoir un dépassement des cercles vicieux actuels. Bien sûr, il s'agit de démarches exploratoires qui font de cet ouvrage un essai au sens premier du terme. Voilà donc les composantes de cette deuxième partie de l'ouvrage.

Des aspects structurels, je retiendrai : l'état actuel de notre tertiarisation antiéconomique ; la structure de classes ; les nouveaux codes et encadrements.

Des aspects culturels et idéologiques, je mettrai en lumière : cette étrange conjugaison de tendances opposées : sécuritaire et libertaire ; le vieux fond dogmatique, clérical et corporatiste.

En conclusion, je tenterai une seconde lecture de ce que j'ai appelé le seuil critique d'un nouvel âge, dans une étude précédente publiée par *Le Devoir*.

PREMIÈRE PARTIE

EN GUISE D'EXERGUE

La Révolution tranquille a fait naître une nouvelle classe de promus. Des $40 milliards investis dans les diverses réformes, plus de 40 p. cent sont passés dans les goussets de ce qu'on pourrait appeler les pourvoyeurs de services. Cet énorme investissement financier, emprunté en partie à New York, devait servir un objectif d'autodéveloppement dynamique et juste. N'est-il pas temps d'en évaluer les résultats avant de procéder aux prochains choix politiques ? La nouvelle classe se présente pompeusement comme une « locomotive ». De quoi ? D'une société de revendicateurs ou d'un peuple entreprenant ? Qui fait partie de cette nouvelle élite ? Comment vit-elle ? Quels sont ses vrais objectifs ? Est-elle la norme, l'image idéale de ce à quoi la plupart des Québécois aspirent ? Essayons d'y voir clair.

1. Les promus de la Révolution tranquille

Ils sont promus de la Révolution tranquille et de son énorme bureaucratisation.

Ils sont entrés massivement dans les services publics sans grande compétition.

Ils ont vite acquis leur permanence avec des possibilités d'avancement relativement faciles.

Syndiqués des couches supérieures, ils ont gagné un système très poussé de conditions et d'avantages souvent sans proportion avec leurs homologues du secteur privé.

Professionnels, ils ont pu renforcer un riche statut corporatif grâce aux mille et une régulations de l'Etat bureaucratique, grâce à des ressources publiques auxquelles la pratique privée d'hier avait moins accès.

Cadres, ils ont bénéficié des succès syndicaux en argent, en protection; ils n'ont pas subi les sanctions individuelles du secteur privé; ils n'ont pas eu à répondre publiquement de leur gestion, de leurs dépenses.

Une évaluation qui précède les prochains choix politiques ?

Je m'en vais dire ici des choses un peu dures sur cette nouvelle classe à laquelle j'appartiens, tout en étant aussi des anciennes élites. Cette situation personnelle, inconfortable, a au moins l'avantage d'apporter un éclairage particulier non seulement sur une certaine continuité historique méconnue, mais aussi sur le chassé-croisé de jeux idéologiques contradictoires à l'intérieur même des groupes, des classes, des syndicats, des partis et des individus eux-mêmes. Aspect oublié dans la prétendue polarisation de camps bien définis et identifiés. Il faut toujours retourner à la complexité du réel. Première ascèse d'une liberté aussi responsable que critique.

Dans ce tour d'horizon non exhaustif, je mettrai en relief certains traits révélateurs de la nouvelle classe, quitte à apporter des nuances par la suite.

Je voudrais signaler particulièrement les effets pervers de nos aveuglements idéologiques qui, aux abords des années 80, nous empêchent de nous regarder tels que nous sommes, et d'avoir prise sur le pays réel. Une première géographie humaine du cheminement récent nous révèle déjà l'importance de cette nouvelle classe et surtout l'urgence d'une révision radicale de ses rôles et statuts dans la société d'ici. Une société ne peut procéder à des choix politiques peut-être décisifs sans évaluer la responsabilité de ceux qu'elle a promus comme agents de changement, qui par l'Etat, qui par les partis politiques, l'éducation ou les affaires sociales, qui par le syndicalisme, qui par les autres instruments de promotion individuelle ou collective, privée ou publique.

Brève rétrospective

Déjà au siècle dernier, Marx avait prévu l'émergence de nouvelles classes dirigeantes dans l'avènement des Etats modernes. Chez nous, la Révolution tranquille marquait précisément une volonté de modernisation par le truchement d'un Etat redéfini, plus fort, mieux équipé. Levier principal non seulement d'un rattrapage, mais aussi d'un autodéveloppement efficace et démocratique. D'où une tertiarisation massive centrée sur de nouveaux services publics et sur des outils collectifs de réformes administratives, scolaires, sociales et économiques. La panoplie de ces initiatives allait de la polyvalente scolaire à la Société générale de financement.

Ainsi, en un temps record, a-t-on constitué un vaste et complexe secteur public et semi-public. L'aventure de l'Hydro-Québec était le symbole clé d'une volonté politique progressiste assez largement diffusée dans la population. Nous pouvions donc réussir des chantiers prometteurs. Bien sûr, il y avait là beaucoup d'improvisation et de précipitation. Le coup de frein de 1966 chez plusieurs électeurs québécois rappelait qu'on ne passe pas d'une idéologie de l'ordre à une idéologie du changement en un tournemain.

Mais le mouvement de réforme était trop fort ; il allait poursuivre sa foulée initiale par-delà cet accident de parcours, cette cote d'alerte. Conservateurs ou traditionalistes se sont tus jusqu'à tout récemment ; on comprend le boomerang explosif après cet assez long silence devenu humiliant à leurs yeux. Ce sont plutôt les divers groupes progressistes qui se disputaient entre eux les orientations de la réforme. Evidemment, les plus radicaux contestaient celle-ci au nom d'une nécessaire révolution. Mais il a fallu un certain recul pour prendre conscience de la nouvelle classe en train de se façonner. Aujourd'hui la phénomène apparaît plus clairement.

Les trois branches idéologiques

On peut distinguer trois branches idéologiques dans cette nouvelle classe. J'emploie le qualificatif « idéologique » (au sens courant du terme) parce que de part en part cette nouvelle classe partage un même style de vie, des aspirations et des pratiques semblables en matière de consommation. Vue à partir de cette réalité hélas ! trop ignorée, la diversité des discours idéologiques apparaît souvent artificielle et en porte à faux. Mais ceux-ci n'en demeurent pas moins révélateurs d'orientations publiques divergentes ou opposées.

L'aile droite

— D'abord une fraction de droite qui veut assurer son ascension par des canaux de collaboration aux pouvoirs dominants en économie comme en politique. Il y a ici communauté d'intérêt entre le *middle management* des secteurs privés et publics. A cela, s'ajoute le fait que tous ces cadres ont fréquenté la même « école » au sens large du terme.

Il faudrait noter ici le danger de confondre cette catégorie avec les traditionalistes. Car en matière de conservatisme et de progressisme, on rencontre souvent des situations inattendues où les gens étiquetés comme tels ont parfois des comportements contraires à ce qu'on leur prête idéologiquement. Je pense, par exemple, à une certaine gauche toute mobilisée par des objectifs sécuritaires. Mais les ambiguïtés sont parfois autrement plus subtiles comme nous le verrons. On peut poursuivre un certain progrès dans une ligne donnée et pratiquer une politique de statu quo dans une autre. Telle une droite qui se dit championne de la liberté, mais ne veut en rien changer les règles du jeu qui favorisent ses intérêts au détriment des autres.

Une autre cote d'alerte sur les discours idéologiques des uns et des autres, le mien compris ! Plus j'avance dans la vie, plus je me rends compte de la complexité de l'expérience humaine et de tout champ historique particulier. D'où mon souci de relativiser même cette catégorisation que je suis en train de faire.

Retenons ici un trait majeur de cette branche de la nouvelle classe, à savoir la volonté de jouer la carte du libéralisme pratiqué en Amérique du Nord. Je laisse de côté, à dessein, le jeune mouvement libertaire dit anarcho-capitaliste qui me semble encore assez marginal malgré tout le prestige de l'école Friedman et de ses variantes. On n'en est pas là dans cette branche de droite, malgré tout l'attrait du retour au « marché pur ».

Au centre

— La branche du centre, socio-démocrate et péquiste, utilise le néo-nationalisme comme voie privilégiée de sa propre mobilité. Il s'y mêle un souci de promotion collective indéniable et un sens profond d'appartenance au peuple d'ici. Ce que la catégorie précédente n'a pas tellement, malgré ses discours (il suffit d'entendre les conversations privées sur les Québécois, et surtout de voir les gestes correspondants aux intérêts poursuivis).

De là à nier toute ambiguïté chez les centristes, c'est une autre affaire. Certains critiques font ici un rapprochement avec la petite bourgeoisie qui dirigeait le mouvement des Patriotes au siècle dernier. Après avoir acquis un certain statut et se voyant arrêtée à ce qu'on appelle aujourd'hui le *middle management*, cette petite bourgeoisie a choisi la voie nationaliste pour se promouvoir. Alliance avec le peuple, comme hier les homologues parisiens de 1789 qui ont pris fait et cause pour les paysans... et par là accédé à un nouveau pouvoir.

D'autres critiques actualisent ce point de vue en soulignant que « la culture et la langue constituent pour une large proportion de la nouvelle petite bourgeoisie ses principaux instruments de travail ». Une sorte de Capital culturel, analogue à l'autre économique, selon la même logique, qui tire de là un statut, un marché, un pouvoir.

Personnellement, je trouve un peu simpliste l'utilisation du terme « bourgeoisie » comme clef unique de compréhension. Il faut se rappeler ici que nous n'avons pas eu au Québec de grande bourgeoisie propre à nous, référence pourtant nécessaire pour qualifier la « moyenne » et la « petite ». Voilà un autre exemple de langage idéologique un peu artificiel qui exigerait plus de nuance. Comme d'ailleurs certaines conceptions universelles et abstraites de « classe sociale ». J'emploie ce terme moi-même en étant conscient de ses ambiguïtés sociologiques encore mal éclairées chez nous. D'où mon effort ici pour en cerner les diverses facettes sur un terrain particulier, celui des promus de la Révolution tranquille.

On ne peut nier le fait que le néo-nationalisme a servi de tremplin dans un mouvement, puis dans un parti qui en est arrivé à prendre le pouvoir avec tout ce que cela comporte pour de nouvelles élites dirigeantes, surtout au gouvernement et dans les secteurs publics ou semi-publics.

Encore ici, il faudrait apporter bien des nuances et ne pas réduire cette force historique à un simple canal de promotion pour une partie de la nouvelle classe. Et d'ailleurs, chez les néo-nationalistes, il y a aussi de la droite et de la gauche et non pas seulement des positions centristes. Ah ! ces catégories commodes mais tellement simplificatrices.

L'aile gauche

— La branche de gauche de la nouvelle classe cherche à s'imposer par le syndicalisme et par une idéologie qui lui assurerait un pouvoir susceptible d'exclure à la fois les pouvoirs dominants actuels et les autres fractions de la « petite bourgeoisie ». Eh oui ! on peut régner au nom de Dieu, au nom du Capital, au nom de la Nation... et aussi au nom du prolétariat et reproduire des subterfuges idéologiques semblables avec les mêmes références démocratiques en bouche.

Le peuple au pouvoir, en l'occurrence, ce serait cette « communauté d'idéologie et d'intérêt de tous les travailleurs du Québec ». Dans le même sac, les chômeurs, les ouvriers du textile, les professionnels syndiqués, etc. Bien sûr, on veut se démarquer des chapelles idéologiques extrémistes, vraiment trop gênantes, trop explicites dans ce jeu idéologique assez bien camouflé.

Des nuances, ici aussi, sont nécessaires. On ne saurait ramener le syndicalisme québécois réel aux entourloupettes de la nouvelle classe radicale. En lui s'affirme un jeune mouvement socialiste montant, mais encore peu enraciné. Cette force historique en train de faire le tour de la planète ne restera pas longtemps une réalité marginale chez nous. Mais il faut bien admettre qu'ici comme ailleurs dans les pays riches et libéraux, les « gauches » sont piégés de mille et une façons.

Ce n'est pas une raison pour les disqualifier superficiellement. Comment, par exemple, ne pas comprendre l'agressivité et la volonté de concentration d'un syndicalisme face à des monopoles qui ont des stratégies planétaires, ou même face à des conglomérats locaux ou encore à des gouvernements ? Les fronts communs deviennent inévitables. On les fait là où l'on peut. Et le secteur public est le premier à s'y prêter, surtout au Québec où le secteur privé est si mal en point et souvent atomisé.

L'importance de l'enjeu ne doit pas nous empêcher de nous interroger sur le pouvoir syndical, sur ceux qui le détiennent à ses divers paliers hiérarchiques (eh oui!) ; sur certains gros syndicats professionnels ou autres. Là aussi, il y a une branche particulière de la nouvelle classe. Elle voudrait bien qu'on ne considère pas son pouvoir avec les mêmes critères critiques qu'elle applique aux pouvoirs établis politiques, économiques ou religieux. C'est une prétention dangereuse pour le syndicalisme lui-même. Souvent dans l'histoire, on n'a pas su voir venir les nouvelles classes dirigeantes, surtout celles qui ont emprunté des chemins populistes, masquant ainsi leur logique de pouvoir derrière celle de la justice.

Certaines attitudes communes

Voilà une description rapide et un peu caricaturale des trois branches de la nouvelle classe. Il nous faudra beaucoup d'autres angles d'éclairage pour mieux cerner ce nouveau phénomène chez nous. L'univers des promus de la Révolution tranquille est autrement plus complexe. Il est le principal véhicule des changements culturels, sociaux et politiques. Il symbolise une volonté historique à l'opposé des vieilles résignations d'hier. Il porte en son sein des engagements et des compétences admirables. Il est le lieu privilégié d'affirmations inédites telle cette étonnante révolution féminine qui a à peine dit son premier mot « public ».

Mais on devient plus critique quand on resitue l'univers des promus dans le tournant historique de l'ensemble de notre société. Comme membre de cette nouvelle classe, je crois avoir reçu cent fois plus de cette société que ce que je lui apporte. Est-ce bien la conviction de la plupart d'entre nous ? Nos revendications respectent-elles les radicales requêtes de justice d'une énorme masse de citoyens petits salariés, chômeurs ou assistés ? Depuis 1960, les promus de la nouvelle classe ont accaparé $20 milliards des ressources collectives destinées à l'autodéveloppement.

Un autodéveloppement compromis

Dans quelle mesure celui-ci n'a-t-il pas été gravement compromis par des luttes artificielles entre les trois fractions de la nouvelle classe, entre élites administratives, professionnelles et syndicales ? Une lutte qui a laissé démunie une grande partie de la population. Une lutte qui a mobilisé les énergies dans des jeux bureaucratiques au grand dam d'initiatives sociales et économiques constructives. Une lutte qui ne règle rien au problème gigantesque d'une société soumise à des centres de décision extérieurs. L'énorme potentiel de ressources collectives concentrées dans les mains de la nouvelle classe sert-il d'abord et avant tout au défi historique d'un peuple capable de faire sa propre histoire, son économie, sa place légitime dans le monde ?

Au moment où nous faisons face à des choix politiques majeurs, et disons-le, à des temps difficiles qui commandent des solutions neuves, audacieuses mais aussi très exigeantes, qu'est-ce que nous sommes prêts à investir en temps, en travail, en portefeuille? C'est là une démarche plus vraie que celle de se définir à partir d'un scénario idéologique et politique sans lien avec les pratiques et les styles de vie réels. J'en ai tant vu de ces promus au verbe idéologique généreusement critique, mais très mesquins dès que leur confort, leurs intérêts et leurs responsabilités propres étaient en jeu. Soyonx sérieux, pouvons-nous construire un avenir collectif dynamique, si nos propres classes privilégiées (cadres, professionnels, gros syndiqués) prélèvent des avantages immédiats et maximaux, à même des ressources publiques plus limitées que celles de nos voisins ?

Par-delà la question de fric, bien d'autres attitudes et comportements sont à revoir[1]. Un sérieux examen de ceux-ci doit

1. Bien sûr, il y a une question de fric. Comment ignorer les profits excessifs de certaines grandes corporations sur lesquelles les gouvernements ferment les yeux ? Comment ignorer aussi la baisse du pouvoir d'achat des travailleurs durant la même période ? Mais il est aussi d'autres chiffres qu'on ne trouve pas dans les

faire partie de l'évaluation politique des grands choix actuels. Dans une prochaine étape, je voudrais poursuivre ce tour d'horizon en essayant d'abord de mieux cerner le monde des cadres.

---

discours de la nouvelle classe. Par exemple, ces $30 milliards d'emprunts / dettes du Québec avec leurs $2,5 milliards de redevance annuelle, dont une large part a servi à financer des services publics dont plus de 60 p. cent du budget est consacré au personnel. Faire croire aux travailleurs du secteur privé directement touchés par la récession économique qu'ils seront les premiers bénéficiaires d'un « siphonnage » accru du potentiel financier du Québec, c'est une manoeuvre digne du plus pur capitalisme. Après bien des grèves du secteur public, ils ont vu leurs billets d'autobus ou de métro, leurs comptes de taxe, leurs notes d'électricité et tant d'autres dépenses du genre monter en flèche. Va-t-on les accuser de démagogie parce qu'ils se scandalisent de la disproportion entre leurs conditions et celles des pourvoyeurs de service dix fois mieux protégés qu'eux ? Ils savent que la marge de manoeuvre dans leurs luttes ne sera jamais, avant longtemps en tout cas, celle des « serviteurs du peuple » qui, dans ce prétendu jeu d'entraînement, se servent à plein les premiers. Dans la cavale ultra-rapide de l'inflation, c'est plutôt le contraire qui est en train d'arriver. Par exemple, les conséquences en termes de taxation sont immédiates dans le cas d'une augmentation du budget des services publics, tel un accroissement de 20 p. cent de la masse salariale.

2. Le monde des cadres

I

Modernisation, rationalité, efficacité, voilà les repères clés des réformateurs surtout depuis le début de la Révolution tranquille. Il fallait sortir d'un monde artisanal, villageois qui était devenu une sorte d'anachronisme honteux dans un environnement nord-américain marqué par une évolution technologique, économique et sociétaire ultra-rapide. Comme première réponse à ce défi de rattrapage, nous avons jugé nécessaire de développer la maîtrise des méthodes modernes de gestion, ce *génie des ensembles* susceptible de faire contrepoids à l'esprit de clocher, aux pratiques de la ficelle, du jeu par oreille, du rituel intouchable, de la tradition.

Un monde improvisé

La honte de ce passé peu glorieux conjuguée à l'explosion d'un espoir sans limites allaient précipiter la mise en place de structures, d'équipements, de techniques, de spécialisations et surtout de cadres administratifs les plus « sophistiqués ». Il fallait donner pareil coup de barre, même si ces réformes hâtives comportaient des risques d'erreurs et de mauvais aiguillages.

Mais en gestion comme en d'autres domaines, on ne fait pas facilement l'économie d'une solide expérience éprouvée. Il en va de même dans le façonnement de nouvelles institutions. Ce ne saurait être un objectif à court terme. L'homme, la société, les institutions ne changent pas comme un modèle d'auto.

N'ayant pas fait notre propre révolution technologique, nous l'avons considérée tantôt comme une réponse magique à tout, tantôt comme un tabou menaçant. Ce problème s'est aggravé quand nous sommes passés des nouvelles techniques physiques à la technocratie. Aujourd'hui, nous nous rendons compte des énormes ambiguïtés, illusions et improvisations de cette période réformatrice. Mais, répétons-le, pouvions-nous éviter ce passage difficile ? Il s'est quand même fait des choses intéressantes et audacieuses en peu de temps. Nous sommes encore à les digérer !

Peut-être avons-nous assez de recul pour évaluer un tel cheminement et corriger sa trajectoire. D'ailleurs, toutes les sociétés occidentales et bien d'autres s'interrogent sur la bureaucratisation croissante, lourde et de moins en moins efficace. Le procès de l'Etat est à la mode... et dans sa foulée, celui des appareils administratifs et de leurs gestionnaires. Chez nous, le choc est très brutal, dans la mesure où les grandes réformes ont été pensées et réalisées en fonction de l'Etat-levier principal de modernisation et de promotion collective.

Un monde-bouc émissaire

Mais que de contradictions et d'ambivalences dans ce procès ! On veut moins de taxes et plus de services. On s'en prend constamment au gouvernement, mais on attend tout de lui. Combien de citoyens sont prêts à assumer les responsabilités correspondantes à la décentralisation qu'ils réclament, à la démocratisation de la gestion et de l'organisation institutionnelle ? Une certaine critique dite progressiste porte des revendications qui risquent d'accroître la dépendance.

Souvent le procès des bureaucrates et des technocrates est un alibi, un écran qui masque « noblement » la fuite de responsabilités qu'on ne veut pas prendre à son propre niveau. Si bien que le monde de l'administration et des cadres devient le bouc émissaire de tous les problèmes de la «base». Bien sûr, on présuppose que celle-ci existe, qu'elle sait parfaitement ses besoins et les solutions pour les combler. On verrait les choses différemment si on savait mieux qu'elle est à recréer et comment le faire, en tenant compte des sensibilités nouvelles et des requêtes inédites de pédagogie sociale et politique. Le reproche d'inefficacité administrative pourrait s'appliquer à bien d'autres niveaux. Et l'idée-force de création collective solidaire à la base est souvent une pure référence idéologique sans la culture démocratique et les compétences correspondantes. Evidemment, ce n'est pas une raison pour démissionner de cet objectif majeur, test d'un autodéveloppement dynamique.

Le génie des ensembles

Mais cette visée centrale est-elle exclusive du génie de l'ensemble et des ensembles que tente de développer une démarche gestionnaire intelligente, pertinente, qui peut être aussi bien démocratique qu'autocratique. Bien sûr, se pose ici toute la question du pouvoir. Les débats récents n'ont retenu que celle-ci dans la plupart des cas, au point de constituer un autre écran pour ne pas avouer bien d'autres problèmes à surmonter. Sans compter une mobilisation d'énergie qui laissait peu de place à l'investigation et à l'expérimentation, par exemple, de nouvelles formes d'organisation institutionnelle, de régime de travail, de pratiques démocratiques.

Voyez l'univers très ritualisé du cadre syndicalo-administratif des conventions collectives, surtout dans le secteur public. Cadre où la rigidité des statuts, des rapports sociaux et des activités le disputent à une complexité aussi poussée et aussi lourde. Il y a ici des responsabilités de part et d'autre où l'on retrouve ce que j'ai appelé précédemment les jeux d'intérêts des diverses branches de la nouvelle classe, souvent au grand dam des finalités mêmes de l'institution et des citoyens-usagers (!) qui en sont la raison d'être.

Avant de procéder à l'évaluation plus directe du monde des cadres et de sa position dans la nouvelle classe, il m'est apparu nécessaire de mieux cerner le contexte où il se situe pour éviter justement une critique simpliste. Voyons les grandes lignes de ce contexte d'une façon plus explicitement reliée à l'univers administratif comme tel.

II

Profil actuel du contexte administratif

1. Depuis la Révolution tranquille, nous avons fait des efforts louables pour développer des administrations plus efficaces, particulièrement dans le secteur public.

2. La spécialisation de la fonction administrative a permis de mieux dégager la spécificité des démarches gestionnaires.

3. On doit reconnaître que nos jeunes administrateurs sont loin de maîtriser encore les instruments modernes de gestion qui se renouvellent à un rythme parfois ahurissant. Et que dire de la perplexité de tous les profanes, non initiés à ces appareils technocratiques complexes.

4. En deçà des questions de pouvoirs et d'intérêts, il s'est produit une sorte de cloisonnement entre les administrateurs, les professionnels et le public. Un peu comme s'il y avait ici trois ordres de préoccupations trop parallèles. Par exemple, combien de professionnels disent: «l'administration, c'est pas mon boulot». On en arrive même à opposer en principe les normes professionnelles et les normes administratives. Souvent les batailles qui en résultent perdent complètement de vue les fins propres du service; et le public concerné ne peut pratiquement rien dire.

5. Par ailleurs, combien de revendications des uns et des autres ne sont absolument pas administrables, et elles ne le seraient pas dans n'importe quel système d'administration, pour ne pas dire dans n'importe quel régime politique. D'autre part, on a mythifié le M.B.A. au point de laisser croire que tout diplômé pouvait au pied levé prendre en charge n'importe quel service. Or, il arrive dans certains secteurs qu'une forte proportion de cadres n'ont aucune expérience minimale dans le champ particulier d'intervention où ils exercent leur fonction administrative. C'est plus grave en éducation, dans les affaires sociales et dans le domaine de la santé. Et plus on s'élève dans les structures bureaucrati-

ques, plus ce problème s'accuse. Ici aussi, les exceptions confirment la règle.

6. On ne peut résoudre toutes ces questions à la fois. Il faut d'abord que tous et chacun de nous arrêtent de considérer la fonction administrative comme un secteur à part. Elle est trop importante pour la laisser exclusivement aux mains des spécialistes, dont je ne nie pas la nécessité. Se demander si ses démarches et ses exigences sont administrables, être capables de discerner ce qui est ou n'est pas administrable, cela fait partie d'une compétence honnête et d'un réalisme minimal de plus en plus négligé, si l'on en juge par les dérives récentes. Par exemple, le refus absolu de mobilité dans les tâches défie à la fois tout bon sens et en même temps les objectifs de démocratisation qu'on prétend poursuivre. Le malade, l'étudiant, le handicapé et le public en général sont de plus en plus coincés entre un technocratisme administratif et un corporatisme professionnel, syndical qui se ressemblent étrangement. De part et d'autre, on se dispute un pouvoir absolu inaccessible au moindre contrôle démocratique. Ce n'est pas toujours le cas, mais ce travers est trop répandu pour le nier.

7. Il reste que les tâches de leadership institutionnel à divers niveaux sont devenues de plus en plus difficiles à assumer. Beaucoup de cadres rencontrent quotidiennement mépris, harcèlement, mise en échec. Je pense à cette infirmière en chef qui a dû faire trois réunions de plusieurs heures avec divers services pour trouver qui pourrait bien transporter les nouveau-nés de la pouponnière à la salle de réveil. Question d'humanité et de délicatesse pour les jeunes mères. Le refus de mobilité, une exigence professionnelle, n'est-ce pas ?

Dans la foulée actuelle, les plus compétents, soucieux d'un service efficace, en viendront à fuir systématiquement toute responsabilité de leadership. S'il y a bien des problèmes qui viennent d'en haut, d'autres surgissent d'en bas. Et voilà les cadres intermédiaires coincés dans des situations impossibles. Car ceux-ci sont précisément là où l'action se passe, là où la vie commande, là où les choses doivent marcher à tout prix. Des poignées d'hommes et de femmes se crèvent parfois à rendre leur service simplement viable, trop souvent parce que bien d'autres personnes de la boîte ne font pas leur boulot, exigent l'impossible ou suscitent constamment des débats stériles et interminables.

III
Quelques repères d'évaluation

Mais nous ne pouvons en rester à ces données contextuelles, le monde administratif, le syndicalisme et le professionnalisme de la nouvelle classe n'ont pas tellement fait preuve d'autocritique-jusqu'ici. Une autocritique en termes de pertinence sociale, de clarification idéologique, de comportement politique, de pratique démocratique, de service authentique. Les uns et les autres ont su camoufler leurs propres intérêts derrière de nobles discours publics où à peu près tout le monde emploie le même langage standard: qualité des services, intérêt du public et quoi encore !

Trop de chefs ?

1. Le monde des cadres est très complexe. La distinction entre les cadres supérieurs, moyens, inférieurs ne suffit pas. En effet, on a souvent multiplié les paliers hiérarchiques dans des structures longues qui constituent des appareils de plus en plus compliqués et protubérants. Ce qu'il faut d'instruments sophistiqués d'analyse institutionnelle pour y voir clair ! Le procès de la bureaucratisation n'est pas sans fondement.

Nous avons chez nous nos propres problèmes bureaucratiques. Par exemple, un secteur privé autochtone aussi pauvre ne permettrait pas l'embauche massive des diplômés produits par une réforme scolaire précipitée; d'où une concentration excessive dans le secteur public. Dans certains ministères, il y a jusqu'à trois fois plus de cadres qu'ailleurs, toute proportion gardée en termes de population à desservir. Trop de chefs pour ce qu'il y a d'indiens ! Il semble que le même problème se retrouve dans des entreprises comme Sidbec, l'Hydro-Québec et autres semblables. Un de nos gestionnaires, Laurent Picard, soutient que les Québécois sont encore très déficients en matière de gestion efficace et pertinente. Nous n'avons pas encore de traditions administratives éprouvées et dynamiques. Chance au coureur ?

On se sert les premiers

2. De par sa position stratégique, le monde des cadres s'est souvent servi le premier et surabondamment. Dans bien des institutions, l'aménagement luxueux du cadre physique quotidien a miné la crédibilité des administrateurs. En langage populaire, on pourrait dire qu'ils ne se coupent pas les doigts quand il s'agit d'avantages marginaux, de comptes de dépenses, de rencontres coûteuses pour des fins « professionnelles ». Combien de budgets révèlent que les dépenses « administratives » ont monté beaucoup plus vite que celles de tous les autres secteurs. Quant au statut des cadres eux-mêmes, il se prête à bien des avantages financiers et fiscaux, parfois sans mesure avec ceux des autres catégories de salariés.

L'enquête Chapman révélait que le salaire des cadres avait progressé beaucoup plus vite que celui des employés syndiqués, au Québec, durant les deux dernières années. « C'était une question de rattrapage » rétorquent certains administrateurs. « Les forts gains syndicaux des derniers temps nous ont forcés de relever en conséquence le salaire des cadres. Autrement qui aurait accepté des responsabilités plus lourdes sans la rémunération correspondante ? » Faut-il y voir des transactions, des intérêts communs inavoués entre les diverses catégories de la nouvelle classe, entre les promus du secteur public ? « Le syndicalisme des autres, ç'a été une manne pour nous, les cadres, mais nous la payons bien cher en emmerdements quotidiens ! », me disait un autre cadre.

Et le gaspillage

3. Particulièrement dans les services publics, on peut en prendre large au chapitre de manoeuvres qui comportent moins de contrainte en matière de rentabilisation, d'efficacité. On ne fait pas faillite dans de telles institutions. Voyez comment on utilise certains surplus budgétaires de fin d'année. Redisons-le, il est paradoxalement plus facile d'abuser d'une propriété publique, sans payer la note des abus. Avons-nous développé les pratiques et les normes éthiques correspondantes à la carte publique que nous avons jouée prioritairement depuis deux décennies ? Ce pro-

blème touche tout le monde, y compris les usagers. Mais encore là, la position stratégique des administrateurs se prête à de plus gros gaspillages, à de plus grands abus, quand c'est le cas.

L'exercice du pouvoir

4. Un certain passé clérical, autoritaire, dogmatique n'a pas été liquidé, loin de là. L'histoire, comme la nature, revient vite au galop. Au début des années 60, nous avons tourné la page naïvement, sans un examen sérieux de ce qui nous a faits, pour décanter le meilleur, le moins bon et le pire. Peu à peu de vieux réflexes ont refait surface dans le style d'exercice de l'autorité, du pouvoir. Cadres et syndiqués se prétendent tous démocrates. Ils évoquent leurs structures de participation, de consultation. Mais la vraie pratique démocratique se traduit d'abord et avant tout dans les comportements quotidiens. Aurions-nous ici notre propre "mal français" au chapitre de l'inefficacité, de la psychologie du pouvoir unique, de la méfiance systématique, de la mise en cause de tout à propos du moindre accident de parcours ? C'est très inhibant pour l'action individuelle et collective, pour une cohésion institutionnelle minimale.

Quand une institution de service ne connaît qu'un type de rapport : la relation conflictuelle, tout le monde y perd. Les usagers plus que les autres. Il y a des attitudes de fond, de part et d'autre, à revoir radicalement pour resituer plus judicieusement à leur légitime place les conflits d'intérêts et de pouvoirs, les débats idéologiques et les visées politiques divergentes ou opposées. Ce qu'on peut tout mêler à propos de tout et de rien au point d'en arriver à un système d'autoreproduction de conflits sans issue où les problèmes réels de départ sont vite perdus de vue en cours de route. D'où des situations inextricables, des luttes internes entre « promus », des neutralisations réciproques au détriment des finalités de l'institution et de la population.

Une norme étrange...

5. La nouvelle classe du secteur public devient une sorte de repère normatif bien ambigu. Je voudrais citer un exemple révé-

lateur. Voici un homme d'affaires qui a risqué gros dans un commerce d'équipements destinés à des services publics. « Je fais affaire avec des responsables d'achat qui gagnent plus de $30,000 par année, qui se vantent de pouvoir faire leur travail en dedans de trente heures / semaine, qui ont entière sécurité d'emploi et une foule d'avantages sociaux : congés de maladie, fonds de pension, etc. Bref, pratiquement aucun risque, peu importe la baisse de l'activité économique ou les restrictions budgétaires. Moi, dans les circonstances actuelles, je suis sans cesse sur le qui-vive. Si je manque mon coup, je perds tout, je me retrouve sur le carreau, farci de dettes et sans aucune protection. Je serais beaucoup mieux de me joindre à cette gang-là. »

Il ne s'agit pas ici de faire l'apologie de tout ce qui se passe dans l'entreprise privée, mais de pointer un contexte général de société peu propice à l'entrepreneurship individuel et collectif, au risque proprement économique. Non seulement la nouvelle classe ne semble pas s'intéresser à ce défi, mais elle devient même une sorte d'écran pour le voir ou l'avouer ; et surtout, elle devient la norme sur laquelle un peu tout le monde veut s'aligner. Une telle norme est-elle vraiment un moteur d'autodéveloppement, une « locomotive » de progrès ? On peut au moins en douter en bien des cas.

Un potentiel de compétence

Il n'en reste pas moins que le monde des cadres renferme un important potentiel de compétences. Un potentiel dont la formation a coûté très cher dans une société moins riche qu'on veut bien le dire. Le Brésil est rempli de richesses naturelles, cela n'en fait pas automatiquement une société développée et dynamique économiquement. Je sais le danger de céder à mon tour à des procès simplistes. Les cadres ne sont pas pires ni meilleurs que les autres catégories de la nouvelle classe. On y trouve d'ailleurs assez souvent un sens poussé de la responsabilité, un souci d'efficacité institutionnelle. Il arrive que les meilleurs se découragent. Dès qu'ils eurent assumé des responsabilités plus larges et plus lourdes, ils ont été tout de suite considérés comme des petits bourgeois de droite, assoiffés de fric et de pouvoir, exploiteurs des travailleurs, toujours de mauvaise foi, incompétents et bornés, et quoi encore ! Cette attitude manichéenne bien connue empoisonne combien de milieux et rend « non administrables » nos institutions les plus vitales.

3. Le monde syndicalo-professionnel

Puisqu'il s'agit toujours des promus de la Révolution tranquille, je voudrais encore ici rester fidèle à l'itinéraire de celle-ci, tout en centrant l'attention sur le façonnement progressif de la nouvelle classe qui s'est surtout constituée à même les réformes successives.

Les fonctionnaires

Les fonctionnaires ont été la première catégorie de la nouvelle classe qui a accompagné le renforcement des institutions d'Etat au moment de la Révolution tranquille. Grâce au syndicalisme, ils ont pu, en majorité, se protéger des aléas de changement de pouvoir. Ils se sont vite bâti un système très complexe de sécurité, de promotion qui allait attirer bien des compétences du secteur privé déjà pauvre en francophones, sans compter les retours d'Ottawa.

Dans le rapport célèbre d'un vérificateur général, on peut lire ce diagnostic très dur: « Toute tentative d'évaluer l'efficacité dans le milieu gouvernemental est un acte de courage.(...) Il semble qu'on ait jugé que les deniers publics étaient pratiquement inépuisables et que l'accès à cet argent était virtuellement sans limites pour les personnes ingénieuses. » C'en est assez pour clouer au pilori les fonctionnaires. Boucs émissaires privilégiés (!) de tous les maux du gouvernement et de la société. Et me voilà mal à l'aise pour formuler une évaluation critique qui ajoute à ce procès parfois très injuste.

Mais si le temps est venu pour la nouvelle classe de procéder à une honnête autocritique, les fonctionnaires, eux aussi, ne sauraient y échapper. Cette autocritique, la fait-on vraiment entre pairs, d'une façon juste et efficace, et non pas sur le dos des autres instances ?

J'ai eu à travailler en collaboration avec plusieurs ministères depuis vingt ans. J'ai rencontré souvent des dévouements admirables. Mais que de bois mort ! Je garde un goût un peu amer de mes séjours dans certains bureaux de divers ministères. Combien n'en font pas « épais » dans une journée ! Ce qu'il peut se perdre de temps, d'énergie, d'investissement psychologique dans ces dédales de statuts, de paliers et de filières, dans ces jeux artificiels de prestige ! Faut-il se consoler en pensant que c'est le même problème un peu partout dans le monde? Mais cela reste difficile à accepter, surtout quand on sait le contingent disproportionné de la fonction publique chez nous.

Peut-être avons-nous cru pouvoir atteindre ainsi très vite les « ligues majeures » sans nous constituer d'abord une assiette économique suffisante. Par ailleurs, où iraient les diplômés produits à grande échelle par notre rapide démocratisation scolaire? Il n'est pas question de regretter celle-ci, mais d'en assumer les difficiles conséquences. Que certains fonctionnaires se comportent comme des membres d'une classe privilégiée, qu'ils calculent mesquinement leur travail, c'est encore plus difficile à admettre, étant donné les énormes besoins de notre population, et les requêtes exigeantes d'un développement plus difficile que prévu. Je le répète, il ne s'agit pas ici de tout mettre sur le dos des fonctionnaires.

Les professeurs

Ils sont la deuxième catégorie spéciale d'une Révolution tranquille qui, après avoir façonné sa nouvelle fonction publique, s'est lancée dans la réforme de l'éducation.

Dans ce contexte d'une réforme audacieuse, mais peut-être trop massive et improvisée, les professeurs ont fait face à d'énormes défis de pédagogie, de perfectionnement et d'organisation scolaire. Voyant leur dimension professionnelle peu reconnue par un monde administratif calqué sur le modèle industriel, les professeurs ont dû adopter le syndicalisme correspondant. Une vieille mentalité antiprofesseur toujours vivante n'a pas su reconnaître cette situation très difficile du jeune corps enseignant. Par ailleurs, il faut bien admettre que celui-ci a vite adopté les traits de la nouvelle classe.

Jeunes, agressifs, nouvellement prospères, les nouveaux professeurs se sont vite installés dans les banlieues huppées; très préoccupés de leur ascension sociale, ils ont d'abord investi dans la course aux diplômes et au statut professionnel maximal; puis le syndicalisme leur a servi de second tremplin en fournissant une légitimité ouvriériste. Le monde de l'éducation est devenu, chez nous, une structure riche et artificielle, souvent entourée de milieux pauvres. Les coûts ne comptent pas dans ce monde-là. Après tout, l'éducation, c'est d'une importance sans limite! Mais ces remarques, comme dans le cas des fonctionnaires, ne doivent pas minimiser les progrès accomplis et les apports qualitatifs indéniables. De plus, il faut connaître de l'intérieur le cadre actuel du travail scolaire pour se rendre compte jusqu'à quel point une journée d'enseignement aux adolescents dans une polyvalente peut vider un professeur. Cela aussi on doit l'admettre en toute justice.

Les agents sociaux

Puis viennent les innombrables *agents des politiques sociales,* troisième foulée de la Révolution tranquille. J'ai dénombré plus de quatre cents nouvelles spécialités et j'avais à peine amorcé ce relevé statistique. Croyez-le ou non, des études récentes soutiennent que tout ce beau monde aux services des usagers (!) siphonne 40 p. cent des transferts économiques destinés aux classes pauvres, si nous y ajoutons tout ce qui va aux classes moyennes, mieux équipées pour utiliser les processus de plus en plus complexes des politiques sociales, les programmes, les subventions. Dans ce nouveau contexte, certaines professions traditionnelles, à la manière des professeurs, ont su conjuguer les avantages professionnels et syndicaux; mais contrairement aux professeurs, plusieurs avaient au départ une assiette socio-économique bien garnie.

La médecine « syndiquée » est à la fine pointe de cette mixture très rentable. Elle a su conserver plusieurs avantages d'hier et acquérir ceux d'aujourd'hui. Jouant sur de multiples ambiguïtés et sur la plus grande force de chantage de la société (la santé), ce monde syndicalo-professionnel a gagné la plupart de ses batailles et le gouvernement a cédé sur bien des fronts. Habilement, certains médecins ont su mettre tous les maux (!) de l'hôpital sur le dos des autres syndiqués, comme s'ils ne faisaient pas eux-mêmes partie du problème.

J'écris ces lignes en hésitant. En effet, le monde médical est une cible privilégiée pour une critique sociale qui utilise de vieilles rancoeurs aveugles à des fins idéologiques peu constructives. Il faut craindre de décourager ceux qui ont un sens élevé du métier et de la profession, lieu quotidien de service, d'excellence et de dépassement. Mais il y a plus grave : dans quelle mesure la dimension professionnelle a été marginalisée par une organisation technocratique trop souvent ignare des exigences propres à la pratique médicale et au nursing ? Quant aux visites à domicile, les médecins ont-ils tort de rappeler le fait qu'un plombier ou un électricien reçoit plus du double de rémunération ?

Cela dit, il n'en reste pas moins qu'encore ici on retrouve bien des comportements de la nouvelle classe face à l'Etat vache à lait.

Les protecteurs du peuple

Les protecteurs du peuple, anciens et nouveaux, ont énormément profité des initiatives de la Révolution tranquille. Voyez le budget de la communauté urbaine de Montréal et ce que policiers et pompiers en siphonnent. Ils ont acquis une place assurée dans la nouvelle classe, professionnellement et syndicalement, répétons-le. Eux aussi, ils ont utilisé leur pouvoir de chantage à l'extrême limite.

Mais il y a aussi les nouveaux protecteurs du peuple, les avocats de l'aide juridique, par exemple. Jouant sur leurs vertus socialisantes, sur les besoins et droits des pauvres, ils ont pu camoufler leurs intérêts dans les revendications récentes toutes idéologiquement légitimées par l'extension de meilleurs services aux « petits ». Manoeuvre utilisée de mille et une façons par les nouveaux spécialistes socialisants, par les corporations professionnelles et syndicales, par les militants radicaux de la nouvelle classe. Je reviendrai sur ce phénomène très important qui mérite lui aussi plus de nuances et de discernement.

Les permanents des mille et un secrétariats

Ils sont d'une légion d'organismes bureaucratiques publics, semi-publics et privés où se révèlent des traits particuliers de la nouvelle classe. Ces permanents en prennent large parfois avec le jeu démocratique. Ils ont un pouvoir souvent sous-estimé. Les élus passent, eux demeurent. Certes, ils assurent une certaine continuité. Et on compte bien des serviteurs fidèles dans ce monde-là. Mais de là à ignorer certains travers typiques, certaines manoeuvres très contestables ! Bien des secrétariats sont des univers en soi faits de rituels figés, de paperasseries, de communications abstraites. Leur personnel ne rencontre les membres qu'à l'occasion des sessions, des congrès. Tout le reste se fait par dossiers et téléphones interposés ! *Self-perpetuating system* qui doit même engager des relationistes, des agents d'information et de communication pour se relier aux gens, à la vie, au réel. Bref, un certain visage de la nouvelle classe.

Les intermédiaires du travail

L'énorme poussée du syndicalisme public et du professionnalisme, la multiplication des conflits de travail ont suscité un fort contingent *de permanents de syndicats, de négociateurs patronaux ou syndicaux, de médiateurs, conciliateurs ou arbitres.* Il arrive qu'ils soient semblables, sauf en idéologie. Des frères ennemis quoi ! A tout le moins, n'ont-ils pas en commun cette manne des rituels coûteux et interminables de négociation, de grief, etc. ? On a très peu évalué l'accélération géométrique des investissements en temps, en argent, en personnel pour acheminer des transactions sociales de plus en plus sophistiquées et hélas ! de moins en moins efficaces dans la plupart des domaines, mais plus particulièrement en celui-ci.

Bien sûr, le problème est aussi politique parce qu'on trouve ici le lieu privilégié des affrontements idéologiques. Mais cela ne justifie pas le fait que les conventions collectives deviennent incompréhensibles pour la très grande majorité des gens, même immédiatement concernés. Dans un tel contexte, la participation démocratique devient illusoire, au grand profit d'un jeu interne payant pour ces divers spécialistes de la nouvelle classe, fussent-ils opposés entre eux. Et que dire maintenant de tous les processus d'application des conventions collectives. Un vrai casse-tête épuisant.

Tout le monde administratif et syndical de l'organisation du travail est devenu une sorte de parlement parallèle avec des sessions de plus en plus longues, des filibusters interminables, des joutes souvent stériles. En chacune des institutions s'ajoute un autre parallélisme: deux pouvoirs en lutte au-dessus des usagers impuissants. Comme me disait un permanent de syndicat, nous avons notre propre code du travail.

Sans nier la structure conflictuelle de ce régime, sans rêver de consensus artificiels, il faudra bien reconnaître les conséquences de cette neutralisation mutuelle dans des services publics, où s'est installé un système d'autoreproduction de luttes internes à la nouvelle classe. Peut-on envisager une négociation sociale où toutes les parties, y compris les usagers, se définissent d'abord en fonction de la finalité même du service et secondairement en tenant compte des intérêts conflictuels ?

Consultants et animateurs

Depuis la Révolution tranquille, on a vu grandir deux autres groupes: *les consultants au sommet, les animateurs à la base.* Autres spécialistes intermédiaires qui se sont taillé une place enviable, surtout dans la première catégorie précitée: les consultants. Leurs services sont de plus en plus dispendieux. C'est le pouvoir par le savoir. Un savoir dit objectif, neutre, indispensable. Un savoir médiateur ou une habileté spéciale pour faire débloquer les culs-de-sac. L'un et l'autre peuvent constituer un statut d'arbitre dans des institutions de plus en plus complexes et bloquées, dans un climat permanent de conflits, dans une situation de grande confusion mentale et sociale.

On semble devoir de plus en plus recourir à ces intermédiaires en services d'enquête, de médiation, d'animation, de gestion. J'ai l'impression, au bilan, que ces experts n'ont pas tellement aidé les parties à régler entre elles-mêmes et surtout par elles-mêmes leurs propres problèmes et à améliorer leur inévitable vie quotidienne en commun. Tout au plus, ont-elles trouvé chez ces technocrates un terrain de standardisation du langage, des outils, des méthodes et des programmes. Un apport apparemment précieux, mais en fait peu générateur de pratiques sociales originales vraiment créées par les gens concernés. Cette sorte de no man's land neutre a pu assurer un fonctionnement commun minimal. Mais à quel prix faramineux! Le coût des enquêtes et des expertises en témoigne. Voilà un autre créneau de la nouvelle classe qui sait se rendre indispensable pour établir des ponts entre la base et le sommet!

Artistes et intellectuels

Nous nous prétendons les plus libres de ces jeux. Qui le croira? Songeons au fait que notre monde est largement «subventionné». Certes, il faut ici une bonne marge de distance pour assurer la création libre, mais de là à ne vouloir répondre à qui que ce soit des fonds mis à notre disposition! Nous devrions distinguer cette responsabilité de la question de la censure. Rappelons ici que le clerc est précisément celui qui ne répond de ses actes à personne.

Je prends ce biais pour aborder notre situation, parce qu'il révèle notre propre appartenance à la nouvelle classe de la Révolution tranquille.

Cela dit, sans minimiser le rôle éminent que des artistes de chez nous, particulièrement, ont joué dans notre évolution culturelle récente, et pas toujours dans des conditions faciles. Mais pareil constat ne justifie pas un réflexe d'intouchable chez certains monstres sacrés qui appartiennent davantage au *show business* déjà très payant. Avouons que nous sommes de tous les créneaux de la nouvelle classe, passablement opportunistes. Certaines «puretés» ne trompent personne. Intellectuels de gauche, de centre ou de droite, par exemple, sont aussi piégés de par leur appartenance à la nouvelle classe. J'en suis. Comme dans le cas des agents d'éducation, nous avons la tentation d'utiliser des légitimations du genre: «La culture n'a pas de prix!» Les requêtes de nos clubs en compétition ne sont pas nécessairement à la gloire de la promotion désintéressée de la culture, de la science... ou de la liberté!

Les journalistes

Les journalistes sont conscients du «Quatrième pouvoir», de son rôle inédit dans un monde où même les guerres passent avant tout par les media. Il y avait plus de reporters sur la guerre du Vietnam que de soldats. Un exemple entre cent pour montrer l'importance de ce domaine. Il n'y a pas que l'énorme question de la concentration de presse; on l'a vu dans les grèves idéologiques récentes. Des journalistes compétents ont interrogé publiquement leurs pairs sur les implications professionnelles, éthiques et institutionnelles de certains combats, implications qui elles aussi doivent qualifier la liberté de presse et d'information. Ces journalistes ont été mal reçus par des leurs. Solidarité inconditionnelle et idéologique oblige. On imagine le pouvoir qui peut en naître!

Certes la forte dépendance politique et économique de bien des media justifie de rudes luttes de démocratisation. Car l'enjeu est trop grave. De là à refuser, comme on l'a fait récemment, une révision sérieuse et honnête de certaines stratégies suicidaires... de là à écarter tous les jugements sévères de l'opinion publique, comme étant des purs reflets de la propagande patronale... de là à ne jamais se demander si certaines revendications ne seraient pas viables dans n'importe quelle institution de n'importe quel régime politique... de là à minimiser l'urgence de rehausser la qualité professionnelle d'un métier aussi important...

Les journalistes sont loin d'avoir clarifié et situé leurs intérêts propres, leurs rôles, leurs instances professionnelles et syndicales dans l'ensemble de ces enjeux et même sur leur propre terrain. Mais ils ne sont pas les seuls, n'est-ce pas?

Les boursiers

Une autre industrie florissante, avec le halo prestigieux de l'éducation, du haut savoir, de la recherche. Plusieurs fois, j'ai eu à évaluer des requêtes. Il existe une sous-culture de candidats-boursiers très habiles dans la génération montante. Ils savent jouer sur plusieurs tableaux pour réussir à être entretenus, parfois jusqu'au-delà de la trentaine. Plusieurs n'ont jamais fait plus de deux ans dans un milieu de travail particulier. Ils sont devenus des dépendants chroniques du type aristocratique. De retour au travail, c'est la main-d'oeuvre la plus difficile, la plus exigeante, la plus instable, la plus individualiste. Hélas! je caricature à peine. Regardez autour de vous. On ne sort pas facilement d'une longue période de dépendance, surtout quand elle a été généreusement coussinée! Les meilleurs candidats, les plus responsables doivent payer en tracasseries certains contrôles devenus nécessaires à cause de tant d'abus.

Je suis de plus en plus stupéfié par le peu de sérieux et d'exigence qui existe encore dans ce circuit de promotion de la nouvelle classe. J'ai vu tellement de gaspillage et d'irresponsabilité incroyables. Que de fois on ne trouve pas grand-chose au bout de gros investissements consentis à des candidats « débrouillards » à qui on a payé de longs voyages et de coûteux séjours en Europe ou ailleurs. Mon grand scandale, c'est qu'il ne s'agit pas de cas exceptionnels. Les revendications récentes de l'Association des étudiants plaidaient la démocratisation mais sans mentionner la vérification d'indicateurs aussi importants: l'excellence, le travail et les résultats. Quand les cadets imitent les aînés!

Les chômeurs de luxe

Eh oui ! dans la nouvelle classe, il y a des chômeurs de luxe... par intermittence, au gré d'intérêts individuels et privés, qui ignorent ou veulent tout ignorer de leurs coûts sociaux, des exigences de continuité des services institutionnels, des interdépendances urbaines aussi poussées que fragiles. Mis à part les petits salariés qui se crèvent en double ou en triple emploi pour survivre, nous devons cent fois plus à la société que ce que nous lui apportons. Une génération entière est en train de l'oublier. Qui ose le dire publiquement ? Qui fait entrer de telles considérations dans le symptôme passe-partout : « un malaise profond » ?

Toujours est-il que le chômeur de luxe va mettre à son service toutes les portes de sorties de sa « convention collective », les relations de son milieu ; les apports parentaux ; l'obsession actuelle de la maladie, de l'introspection psychologique ; les études dites libres et personelles... et surtout l'assurance-chômage... et cela sans vergogne, jusqu'à l'indécence.

Quelques mois de repos, quelques mois de travail. Un peu comme cette alternance chez certains retraités qui, eux, l'ont bien mérité. Dans la génération montante, une telle attitude témoigne d'un vieillissement précoce qui n'a rien à voir avec la prétendue noblesse d'une contestation lucide, d'une révolution culturelle inédite, alors qu'il s'agit souvent du produit décadent d'un libéralisme sauvage. Voyez les subterfuges utilisés.

En tirant les bonnes ficelles, on peut se faire débaucher et embaucher presque à volonté. Faut dire que ça marche moins depuis quelque temps. Mais l'assurance-chômage, elle, ne lâche pas. On en connaît tous les secrets, bien mieux que les chômeurs prolétaires. D'ailleurs, les dernières législations ont coincé davantage ceux-ci. Les chômeurs intermittents de luxe semblent même être favorisés. Une fois de plus ! Il faut entendre leurs raisons légitimantes : travail dépassé, révolution culturelle, société post-industrielle, droit de ne pas travailler, mais aussi droit d'être entretenu par ceux qui travaillent. Même pas un tantinet de mauvaise conscience.... apparemment. Mais à long terme, celle-ci crée souterrainement un fond d'angoisse indéfinissable chez ces chômeurs de luxe qui se prétendent délivrés des aliénations de la société et surtout du travail. Ils ne sont bientôt plus dans le pays réel. Leur comportement asocial, apolitique en témoigne. Certains analystes snobinards ont exalté ce genre de marginalité volontaire comme lieu de vérité face à nos cités démoniaques. Mais ce qu'ils n'ont pas compris, ce sont les conséquences d'une expérience humaine qui ne sait plus ni le prix, ni le sens, ni la lutte du pain. Peut-être... peut-être les chômeurs de luxe des milieux plus ou moins nantis expriment plus crûment la prospérité artificielle et parfois cancérigène de la nouvelle classe.

Tous promus de la Révolution tranquille

Ce premier tour d'horizon, sans doute non exhaustif, se termine sur une note un peu aigre. J'ai voulu être provocateur de réflexion en faisant ressortir davantage les travers de la nouvelle classe qui n'a pas abusé jusqu'ici d'autocritique. Faisant partie moi-même de cet univers social, j'ai longtemps hésité avant de procéder à cette élucidation qui me conteste moi-même. Eh oui! nous sommes les nouveaux riches, les « parvenus » de la Révolution tranquille, d'une prospérité artificielle de plus en plus scandaleuse en regard d'une masse québécoise prolétarisée, déclassée, bernée non seulement par un capitalisme sauvage et étranger, mais aussi par des élites nouvelles qui ressemblent tant aux élites anciennes.

En terminant cette étape, je voudrais signaler quelques aspects complémentaires de ce premier paysage descriptif de la nouvelle classe.

Il existe bien des firmes et des agents privés qui se nourrissent de tertiaire public. Des alliances très rentables se nouent et élargissent la communauté d'appartenance et d'intérêt de la nouvelle classe. Même les idéologues radicaux contribuent à fausser la perception de ce jeu social plus ou moins souterrain, quand ils parlent de petite bourgeoisie traditionnelle ou nouvelle, en termes exclusifs de notables, de clercs, de petits industriels, de commerçants, de cadres privés ou publics. C'est une belle façon de s'exclure soi-même, d'ignorer les intérêts et la vraie position sociale des permanents syndicaux, des militants de classes moyennes, des gros syndiqués publics bardés d'avantages « acquis ».

De quelques nuances

Certes, le monde syndicalo-professionnel de la nouvelle classe a joué des rôles positifs dans les réformes récentes qui véhiculaient un souci social et politique de promotion collective. Son aile socialisante a soutenu bien des initiatives de libération collective dans les mouvements populaires, dans le syndicalisme, dans les projets urbains et régionaux. On trouve dans la nouvelle classe des femmes et des hommes généreux, travailleurs, courageux. Très motivés dans leur service de la clientèle, du milieu, de la classe ouvrière, de leur peuple, de leur pays à bâtir. Plusieurs se sont engagés dans les services publics justement pour donner des mains à cette conscience professionnelle, sociale et politique. Ils ont souvent ignoré la dimension économique, mais la marginalisation de notre société francophone en ce domaine peut expliquer ce phénomène. Combien ignorent les coûts et autres considérations économiques dans leurs comportements, dans leur vision de la société, dans leurs luttes syndicales et politiques ?

Combien utilisent les objectifs nobles du « bien de l'enfant », de la « qualité des services », de l'« intérêt public » pour exiger à leur avantage des conditions de salaires, de travail, de sécurité sans proportion avec celles des classes qu'ils prétendent défendre ? Pensons à bien des batailles récentes dans les organismes populaires comme les CLSC, l'Aide juridique, les cliniques populaires, précisément là où l'on devrait être plus à même de voir la véritable situation.

Sur tous terrains, dans tous ses groupes idéologiques, la nouvelle classe fait payer très cher ses « services », sans jamais en évaluer les coûts, sans se rendre compte de l'énorme fossé qu'elle est en train de créer dans notre société. On discutera longtemps de nouveaux mécanismes de négociation, de réaménagement institutionnel du travail jusqu'à la cogestion ou même à l'autogestion, de débats de juridictions gouvernementales ou de société ; ce seront là des jeux idéologiques passablement artificiels, en regard du vrai jeu socio-économique que d'aucuns réduisent à l'affrontement entre les grands pouvoirs économiques et politiques, d'une part, et d'autre part la masse des travailleurs. Quelle ironie! une idéologie d'égalité, critique de la structure de classes, promotrice de la lutte correspondante, sert d'écran à une juste perception des classes réelles chez nous.

Dans la prochaine étape, j'essaierai de pousser plus loin cette prise de conscience en utilisant surtout l'observation quotidienne, la « petite histoire » récente, les pratiques courantes que nos scénarios idéologiques ignorent tragiquement, tout en prétendant mieux atteindre ainsi les vraies dimensions structurelles. Rien de moins sûr, surtout dans la situation on ne peut plus compliquée qui est nôtre.

4. La vie quotidienne de la nouvelle classe

Je voudrais m'attarder d'abord un moment aux comportements «individuels» de cette nouvelle classe administrative, syndicale ou professionnelle, bureaucratique et publique.

On accuse souvent le capitalisme de déchaîner des appétits individuels égoïstes, dominateurs, exploiteurs. Or, chez les syndiqués publics comme chez les cadres, on découvre avec ahurissement des jeux individuels et collectifs d'appropriation parfois plus poussés que dans les secteurs privés où les exigences de rentabilité ont des répercussions sur la responsabilité personnelle, sur la quantité et la qualité du travail, sur l'initiative et la créativité.

Il faut dépasser ici les discours idéologiques légitimateurs, les structures formelles et leurs mécanismes, et même les moyennes statistiques qui servent trop souvent à masquer, à noyer les faits et comportements quotidiens. Par une curieuse aberration mentale, de part et d'autre, on disqualifiera une telle approche dite « impressionniste », comme si le fait pointé était imprécis et abstrait, et le discours idéologique ou statistique concret et réaliste. Cette entourloupette ne trompe pas le citoyen qui, lui, juge des choses à partir de situations qu'il rencontre ou expérimente. Revenir aux comportements réels n'est pas un luxe face à une société de plus en plus abstraite, face à des débats idéologiques décrochés et face à tant de fuites dans le parapsychologique, l'extra-terrestre ou la religiosité chimiquement pure.

Une carte « publique » cent fois plus exigeante

Regarder aux pratiques réelles est particulièrement important dans l'évaluation du secteur public qui, au départ, n'est pas soupçonné d'être soumis à la logique du profit maximal. D'ailleurs, on qualifie les activités du secteur public en termes de « service », de lieux démocratiques, d'intérêt public. Ce halo idéologique peut servir d'écran. En effet, au coeur même de nos grandes réformes collectives avons-nous bien compris qu'une propriété publique exige de la part du personnel et des usagers cent fois plus de vertu (eh oui!), de désintéressement, d'esprit de service dans l'utilisation de ressources collectives qui appartiennent à tout le monde et à personne. « Bbah! t'énerves pas, c'est le gouvernement qui paye. » Que de fois j'ai entendu cette remarque en mille et un endroits et circonstances! Des citoyens qui ont choisi l'Etat comme levier central de développement ne peuvent se permettre de tels travers, surtout si ces mêmes citoyens sont membres d'un personnel public déjà favorisé.

Que les dépenses publiques équivalent à près de 50 p. cent de notre produit national brut, cela ne dépend pas forcément d'une politique rationnelle et fondée de l'Etat-levier. A exiger de l'Etat n'importe quoi, peu importe le prix, on arrive à des situations aberrantes... et parfois à de gros trous noirs. Par exemple, le peu de recherche-développement en matière industrielle. Par exemple, le fait que seulement 52 p. cent des postes dans les secteurs technologiques et économiques avancés soient occupés au Québec par des francophones. Nous avons bâti un tertiaire de défoulement au profit d'une nouvelle classe qui sait son avantage dans cette explosion artificielle des services publics. Ce phénomène s'accompagne de gaspillages quotidiens incroyables.

Un énorme malentendu

Il ne s'agit pas ici de nier les énormes besoins sociaux, de justifier un contexte capitaliste qui canalise les ressources dans des corridors d'appropriation surtout au profit d'oligarchies. Je ne veux donc pas ignorer non plus que depuis 1950 les contributions de corporations aux recettes fiscales sont passées de 50 p. cent à 15 p. cent. Un exemple entre cent. D'aucuns se servent de cette juste critique, de l'importance d'une politique plus solidaire par le truchement du secteur public, pour éviter d'autres questions qui les concernent.

Comment utilise-t-on les ressources publiques? Qui en profite? A en juger par l'absence d'évaluation des coûts de plusieurs grandes revendications, on peut conclure qu'il y a là aussi des subterfuges idéologiques. Globalement, le personnel du secteur public prend-il plus que sa part du gâteau? Se sert-il le premier au détriment des usagers, de l'immense masse de petits salariés du secteur privé, des énormes requêtes de relance économique? Il est une façon de pointer les privilèges des petits et gros capitalistes qui font oublier l'émergence d'une nouvelle classe de privilégiés, fort habile pour faire passer ses gains comme des promesses certaines d'amélioration des conditions du prolétariat. On n'insistera jamais assez sur cette fumisterie la plus subtile, la plus mystificatrice de toutes. C'est là où le combat progressiste risque de perdre sa bataille contre le capitalisme, parce que cette mystification commence à être perçue par la population. Ramener l'attitude de celle-ci à une réaction de droite, c'est faire preuve d'un aveuglement désastreux. D'autant plus que les forces dites de gauche sont presque exclusivement concentrées dans le secteur public. Bien sûr, n'oublions pas que celui-ci est composé de cadres, de professionnels et de syndiqués. L'embêtement ici, c'est que les pratiques et les intérêts de ceux-ci et de ceux-là, pourtant semblables, apparaissent dans le débat politique comme deux mondes en conflit à finir, qualifiés abstraitement de droite et de gauche.

Non, il est temps de voir les choses plus à ras de vie et de pratique quotidienne.

Des abus à la tonne

J'ai connu des employés de l'Hydro-Québec qui se vantaient de ne pas faire grand-chose entre 9 et 5 pour se garder matière à temps supplémentaire, afin de s'amasser un plus gros montant avant de partir en vacances ou afin de se procurer un bien super luxe.

Au cours des dernières années, j'ai noté mille et un exemples de ce type de comportement individuel qui utilise les nombreuses possibilités d'une convention collective généreuse (faut pas le dire). Voyez l'utilisation des congés de maladie. Par toute sorte de subterfuges, certains en arrivent à doubler leur temps de vacances, à s'absenter du travail fréquemment. Le taux d'absentéisme est trois fois plus élevé dans le secteur public.

A l'hôpital, le syndicat des infirmières a obtenu qu'un ensemble de tâches dans un département soit assumé par un nombre déterminé d'entre elles, nombre au-dessous duquel elles refusent de travailler. Or, à tout bout de champ et à la dernière minute, l'une ou l'autre signale qu'elle ne viendra pas travailler la journée même, et pas toujours pour des raisons majeures. Et voilà la responsable du département aux prises avec les autres infirmières qui « syndicalement », « collectivement » s'objectent à opérer sans le nombre requis, peu importe si elles ne se sont pas présentées au travail dans des circonstances semblables. Allez donc concilier ces comportements syndicaux dits « solidaires » et « au nom de la qualité des soins » avec un style de travail très individualiste qui fait passer systématiquement la clientèle, les exigences professionnelles et institutionnelles après un maximum d'intérêt privé. Un autre trait de la nouvelle classe.

Des «boîtes» pour le personnel

Bien sûr, ces comportements ne sont pas étrangers à une bureaucratisation (taylorienne) de division très fragmentée et très mécanique des tâches. Mais le syndicalisme lui-même a renchéri sur ces travers administratifs. Ce que les uns et les autres des deux côtés de la barricade ne disent pas, c'est l'avantage qu'on en tire pour en faire le moins possible, pour se limiter étroitement à son classeur ou à son poste, pour multiplier les barrières protectrices de mille et une clauses restrictives. Du coup, s'estompent les possibilités de qualité, d'humanité, de communauté dans l'activité collective du service. Qu'advient-il alors du sens profond du métier, de la profession et d'une responsabilité solidaire? Les meilleurs travailleurs, en compétence et en travail, vous diront que les « boîtes » de la nouvelle classe sont organisées surtout en fonction des intérêts de celle-ci. Les critères de compétence et de service viennent après les mesures d'autoprotection dans la plus belle foulée d'une fonctionnarisation qui secrètement avantage le personnel de part en part, même si celui-ci se plaint de l'énorme bureaucratisation, tout entière due au vilain gouvernement. Répétons-le, c'est un paradoxe jamais signalé que le fait de pouvoir poursuivre des intérêts privés antisociaux encore plus poussés dans les services publics que dans les secteurs privés où la clientèle a tout de même un certain poids, en plus des exigences de rentabilité. Et quand il s'agit de services essentiels, quelle aubaine pour les revendicateurs professionnels !

A la CECM, certains disent avec humour qu'il n'est pas possible de renvoyer un employé, sauf dans le cas où il aurait assassiné un commissaire. Et même là, pas n'importe quel commissaire.

Des complicités peu connues

Dans un tel univers administratif-syndical, *on ne règle pas les problèmes, on les déplace.* On n'a pas encore investigué la secrète complicité d'intérêt des différents groupes fonctionnarisés. Dans un récent Livre vert sur l'éducation, les maquettes de programmes étaient façonnées en fonction des négociations entre les bureaucrates de la CEQ et les bureaucrates du ministère de l'Education. Les citoyens consultés n'ont pas vu ce jeu. Encore ici, l'idéologie de la lutte globale entre patrons et syndiqués occulte certains jeux d'intérêts communs entre les « frères ennemis » de la nouvelle classe. Bien sûr, il y a conflits d'intérêts entre les divers groupes corporatifs maix ceux-ci ont en commun la volonté d'aller chercher souterrainement le plus possible de l'Etat. Nous avons vu récemment de douteuses concertations dans ce domaine hospitalier pour presser le citron d'un budget gouvernemental pourtant déjà très grevé. Trop d'indices nous montrent à la fois l'impuissance des contribuables anonymes et l'infime marge de manoeuvre des hommes politiques élus. Les jeux décisifs se font ailleurs, et ce n'est pas seulement dans le lobbying de la haute finance, comme le laissent entendre les nouveaux radicaux et les anciens.

Par exemple, le porte-parole de la Fédération des affaires sociales (FAS, organisme syndical) a soutenu récemment que sa plate-forme de négociation ne tiendrait pas compte de la préoccupation gouvernementale d'équilibrer les budgets dans les hôpitaux. 67 p. cent de ces budgets sont pour le personnel. Peu importe si les coûts hospitaliers du Québec sont parmi les plus élevés du monde. Cadres, médecins et syndiqués font la bataille au nom de la qualité des soins! Secrètement, les administrations ne souhaitent pas ces réductions et sont prêtes à acheter la «paix sociale» à gros prix comme ç'a été souvent le cas partout ailleurs dans les services publics. Grève après grève, ont été ajoutées des clauses de plus en plus coûteuses qui passaient d'un secteur à l'autre. Il y a eu, bien sûr, des victoires légitimes et nécessaires, une certaine amélioration des conditions des petits salariés du secteur public à l'honneur du syndicalisme. La question soulevée n'est pas là; elle concerne les comportements de la nouvelle classe, y compris la syndicale, particulièrement dans le secteur public.

Etat... d'hypnose

Il existe bien des causes qui ont amené la crise financière de la plupart des services publics, leur caractère de moins en moins «administrable», leur inefficacité. Et dire que tout cela est expliqué exclusivement par l'incurie du gouvernement. Voyez l'histoire récente des Postes où deux mandarinats en lutte perpétuelle ont bousillé presque irrémédiablement ce service public. Combien de travailleurs de la base consciencieux sont eux-mêmes gênés de ce qui se passe entre ces deux bureaucraties, entre ces deux pouvoirs.

Ce que peuvent nous révéler les confidences quotidiennes en regard des discours idéologiques à la télévision. Tout le monde le sait, mais l'insatisfaction générale de la population ne semble avoir aucun poids politique administratif et syndical. Par ailleurs, dans cette même population, moult citoyens sont prêts à toutes les coalitions pour accroître telles ou telles dépenses de l'Etat, dès qu'ils y ont un quelconque intérêt. Alors que les coalitions pour réduire certaines dépenses gouvernementales inutiles sont rares et ne durent qu'un moment.

Chez les hommes politiques, une telle responsabilité est non rentable. La tendance dominante (néo-keynésienne), en recul provisoire, retournera à des budgets gouvernementaux expansionnistes. Economistes, patronat, centrales syndicales et politiciens s'accordent sur ce point. Les mesures de contrôle de l'inflation ont été un rituel vide, de bonne conscience. Et les chantres du secteur privé, tout en tenant un autre discours, vont participer en sous-main à cet étatisme grandissant. A droite comme à gauche, se joue donc fondamentalement la même partie. J'aurai à nuancer ce point de vue.

Et voilà des politiques impuissantes et des contrôles stérilisants, sans une dynamique autochtone, qu'elle soit canadienne ou québécoise. Comment planifier, sinon orienter, une économie dirigée d'ailleurs, sans compter les impératifs de la dimension internationale, plus particulièrement continentale. Les experts eux-mêmes sont très divisés. Mais ce n'est pas une raison pour ignorer le porte-à-faux des discours quotidiens qui ramènent tous les problèmes à l'Etat et aux gouvernements. Par exemple, cette absence de discipline collective reprochée au Canada à la conférence de Bonn doit bien concerner un peu la population et ses différents corps organisés.

Le procès actuel de l'Etat, surtout relié à la révolte des contribuables, n'est pas pour cela sans fondement. Mais combien s'interrogent sur leurs comportements face à ce haut lieu qui devrait être l'incarnation concrète de l'intérêt général ?

L'Etat est de plus en plus utilisé pour assurer toute sorte de monopoles corporatifs, et cela jusque dans l'industrie du taxi. Et que dire de l'histoire douloureuse du néo-corporatisme dans le monde de la construction. L'énorme panoplie de régulations techno-bureaucratiques permet mille et une formes de monopole absolu financier, administratif ou syndical. L'histoire nous a appris que les grandes civilisations ont été souvent étouffées par leur bureaucratie. Allons-nous vers une hyperbureaucratisation aussi inopérante que sophistiquée où se disputent des castes de mandarins privilégiés qui constituent la nouvelle classe ? Faut-il s'inquiéter davantage de la dépendance qui se développe dans la population ? Dépendance qui renforce ces jeux bureaucratiques.

Les effets pervers

Ce qui a été au début une victoire de la rationalité, de l'efficacité et d'une certaine démocratisation se tourne peu à peu vers ce qu'on appelle aujourd'hui des effets pervers et des processus de boule de neige. N'est-ce pas le cas de l'assurance-santé avec son escalade incroyable de coûts ?

Qu'on me comprenne bien, il ne s'agit pas de bouder des mesures sociales légitimes, mais d'en jauger la pertinence, l'efficacité, les priorités... et aussi les divers pouvoirs qui les administrent, les disputent, les utilisent. Les contribuables anonymes, les usagers presque toujours isolés pèsent bien peu dans la balance. Quelle part des fonds publics aboutissent aux destinataires qui sont la première et la dernière raison d'être de ces services ? Faut-il répéter les statistiques ahurissantes en ce domaine ?

Je disais donc que les pratiques budgétaires dans les services publics s'accompagnaient de gaspillages presque jamais évoqués dans le débat politique. Au Québec, cet état de chose a des effets pervers particulièrement dramatiques. L'escalade des dépenses dans le secteur public contribue à la dégradation de la situation du secteur secondaire qui exigerait de forts investissements directement économiques. On parle de plusieurs milliards nécessaires à la relance, et surtout à la restructuration de notre économie secondaire vieillotte.

Certes, on devrait s'inquiéter aussi de certaines consommations privées aussi désastreuses que gigantesques. Tel ce milliard dépensé annuellement sous le soleil du Sud. Encore ici, la nouvelle classe est le client privilégié des agences de voyage. Nous agissons comme si nous étions en pleine prospérité. Le seul problème tiendrait à de mauvaises politiques gouvernementales. Cette orientation majeure du débat public est un immense porte-à-faux. Voyez la croissance, par exemple, de la consommation d'alcool importé. Tout le monde a de bonnes raisons pour justifier n'importe quelle revendication puisque l'inflation n'épargne personne, sauf certaines grandes corporations équipées pour drainer d'énormes transferts à leur profit, telles les banques.

Mais qui ose parler aussi de l'inflation comme mode de vie artificiel dans l'ensemble de la population, et plus particulièrement dans des secteurs privilégiés où l'on peut ignorer plus facilement l'anémie de l'activité économique? Notre tertiarisation artificielle avec ses nouvelles classes et leurs aspirations explosées devient le lieu normatif de comportement pour un peu tout le monde. *Une étrange « locomotive »*.

Je devrais ajouter ici la terrible déperdition d'énergie, de temps et d'argent dans mille et une querelles de juridiction, de statut, de pouvoir entre les gouvernements, les municipalités, les commissions scolaires, les centrales syndicales, et cela jusque dans l'activité courante des institutions locales. Les conséquences de ces jeux stériles sont autrement plus graves que les manoeuvres de quelques poignées d'extrémistes. Leur violence épinglée sert d'écran pour masquer notre pauvreté démocratique, nos piètres performances et notre médiocrité morale.

Dans un tel contexte, il n'est pas facile de voir ces problèmes à niveau de pain quotidien pour vaincre une telle accumulation d'effets pervers et stériles et redéfinir de plus justes priorités. Par exemple, on ne saurait séparer des politiques généreuses en assurance-chômage d'un entrepreneurship public et privé, créateur d'emplois. La faiblesse d'un pôle entraîne celle de l'autre. Nous l'admettons en principe, mais voyez nos combats et nos revendications, nos modes d'épargne et de consommation, nos investissements.

J'ai vécu depuis mon enfance dans un milieu à fort chômage. J'en sais trop le prix et les conséquences pour céder à cette tendance d'un Québec superagence sociale qui remet sans cesse à plus tard les chantiers inévitablement austères d'une économie à la fois dynamique et solidaire. Soyons sérieux, qu'en est-il de l'évolution des régions de chômage depuis les années 50? Dans quelle mesure la «dépendance chronique» s'est-elle accentuée? Dans quelle mesure une nouvelle structure de classe est-elle apparue? Un personnel de cadres et de syndiqués très avantagés dans des institutions publiques au service d'une masse grandissante de dépendants chroniques.

Non, nous ne pouvons continuer dans cette voie. Tout à l'heure aucune politique, même la plus audacieuse, planifiée et massive ne saura vaincre «les disparités régionales», parce que l'infrastructure humaine elle-même se sera dégradée. Je n'aime pas employer ce terme, mais il fait pertinemment image en relation avec certains langages technocratiques et même idéologiques qui marginalisent la dimension humaine dans leurs vues mécaniques des infrastructures.

Fausse conscience et vrais jeux quotidiens

Faut-il précipiter ou attendre une éventuelle révolution globale de structure? Que sera-t-elle sans de fortes préparations à la base? Que sera-t-elle sous la direction de la nouvelle classe «publique» qui ne s'inquiète pas aujourd'hui de ses privilèges scandaleux? Même la fraction radicale de la nouvelle classe a bien su maquiller son jeu en jouant d'ambiguïtés. Voyez ses discours: Etat-rouage de notre exploitation, Etat seule réponse à la propriété capitaliste perverse. Il y a là-dedans un jeu idéologique qui laisse présager l'exercice d'un pouvoir unique, autocratique et étatiste qui pourrait prendre le relais d'une expérience historique encore si près de nous.

En effet, le catholicisme de la chrétienté imposait son pouvoir par le contrôle de l'orthodoxie doctrinale. Aujourd'hui, on parle de polarisations idéologiques, mais voyez le coefficient d'absolu et d'exclusive qu'on y met. Au monopole angélique de sa corporation on oppose le monopole démoniaque des autres corporations. Moi-même, je cède à cette dramatisation crypto-religieuse quand j'emprunte à une sociologie à la mode le concept quasi métaphysique: effet pervers. Il y a donc une attitude profonde à démystifier chez nous tous. Ah! ce manichéisme qui a tant empoisonné l'histoire humaine.

Par-delà ce retour du refoulé, ne perdons pas de vue le jeu complexe, difficile à cerner, de la nouvelle classe. Bernanos disait, non sans une part de vérité, que le peuple n'est ni à gauche, ni à droite. C'est là un jeu des élites anciennes et nouvelles. Chez nous la *nouvelle classe, un peu comme l'ancienne élite avec ses divers regroupements, devient la sélectionneuse des camps idéologiques, tout en faisant preuve d'une même soif de pouvoir, qui par le syndicalisme, qui par les alliances avec la haute finance, qui par le savoir, le know how, qui par la politique, qui par la création culturelle, qui par les media. Mais tous sont au rendez-vous d'un même style de vie, d'une pratique très habile pour ouvrir le coffre-fort de l'Etat à son avantage.* Alors que nous sommes en pleine récession économique, cette nouvelle classe dit vouloir sa part d'une prétendue « augmentation de la richesse collective ».

Voilà une description trop sommaire de la vie quotidienne et de la mentalité de la nouvelle classe. Evidemment, il s'agit d'un profil général plutôt critique qui n'efface pas d'admirables témoignages de travail soutenu et qualitatif chez des administrateurs, chez des professionnels et chez des syndiqués de cette même classe.

Mais la situation présente, pas tellement rose, nous incite à voir plus clair dans ce qui nous arrive. Nous devons pousser plus loin notre ligne d'investigation en explorant les champs de construction de la nouvelle classe et ensuite le processus central de cette construction. Plusieurs se rebiffent devant un tel travail de recherche qui a pu se faire en différents pays, recherche qui a souvent pointé les fausses orientations de certaines forces progressistes, hypercritiques face à leurs ennemis, mais aveugles devant leurs propres travers. La bureaucratisation avec sa nouvelle classe n'est pas seulement un phénomène universel, elle a ses traits propres dans chacune des sociétés. Nous ne pouvons faire l'économie de la compréhension de la nôtre.

5. Les lieux de construction de la nouvelle classe

Dans le passé, certains spécialistes comme Fourastié ont cru à l'inélasticité des secteurs tertiaires (les services) après une certaine période d'expansion. Ils n'avaient pas prévu cette révolution des aspirations qui allaient s'exprimer sous forme de nouveaux droits et besoins dans les politiques sociales. Ils n'avaient pas prévu, non plus, des situations comme celle de la protection de l'environnement, susceptible d'exiger d'énormes investissements, ou l'extension quasi illimitée de l'aire des droits. Ceux-ci sont hélas ! réclamés trop souvent comme sur le marché de consommation, sans échelle de valeurs, sans souci de plus justes priorités, sans philosophie cohérente.

A la faveur de la prospérité des dernières décennies, les sociétés occidentales ont pu mettre en place une panoplie de politiques tertiaires sans trop s'interroger sur leur échelle de besoins. Certes, il y a eu la « guerre contre la pauvreté » avec ses résultats décevants... et aussi ses technocrates du bien-être aux mille et une spécialités.

Chez nous, tout autant qu'ailleurs, dans les sociétés occidentales riches, existe ce cruel départage entre les exclus et un monde « moyen » enfermé dans sa copie conforme. L'inflation galopante aura peut-être l'avantage de nous ramener au sens du pain et au sens tout court. Mais chez les promus, il n'est pas facile d'envisager une certaine austérité après une longue période de prospérité.

Par ailleurs, d'autres problèmes aussi redoutables nous attendent, par exemple, la quasi-impossibilité de ramener à de plus justes proportions les appareils bureaucratiques et leur personnel qui s'y est installé à demeure, avec des « jobs à vie » comme on dit dans le milieu populaire.

Géographie humaine d'une bureaucratie

L'explosion bureaucratique se transmet d'un secteur à l'autre par des processus souvent identiques auxquels ont été initiés les divers groupes administratifs, professionnels et syndicaux de la nouvelle classe. Ceux-ci et ceux-là viennent de la même école, un peu comme les anciennes élites d'hier du collège classique, un peu comme ces experts universels en gestion qui vous fournissent le même outil standard pour diriger des champs très différents d'expérience humaine, des institutions aussi éloignées l'une de l'autre qu'un hôpital et une usine. On en connaît les conséquences! J'ai voulu adopter ici une démarche pédagogique particulière pour la saisie la plus réaliste possible des champs de construction de la nouvelle classe, à savoir les tout nouveaux secteurs d'intervention où l'on cherche une place au soleil de l'Etat, du bien public. Leur actualité permettra au lecteur de vérifier la pertinence ou la non-pertinence de mon observation et de mon interprétation. Dans une situation aussi complexe que la nôtre, il faut se contenter d'hypothèses de travail. D'ailleurs, en ce domaine, il faut craindre les thèses assurées, les grilles toutes faites, et même certains canons scientifiques reçus.

Nous allons explorer quelques cas types révélateurs de la géographie humaine de la nouvelle classe. Nous y trouverons ce que certains critiques appellent « la stratégie professionnelle et bureaucratique de multiplication des besoins imputés qui ne cessent d'engendrer de nouvelles sortes de dépendance et des catégories toujours plus neuves de pauvreté modernisée ». Ces critiques s'en prennent à « la suffisance boursouflée des élites nouvelles et de la vorace jobardise de leurs victimes », à « l'autoritarisme professionnel », caractéristique principale de la fin de ce siècle. Un monde bureaucratisé qui manipule les besoins, les clients, les institutions publiques un peu comme le secteur privé industriel et commercial impose ses marchandises.

Exagération ? Voici donc quelques cas types.

L'enfance inadaptée

Le nombre des enfants dits exceptionnels a décuplé en dix ans. Fruit de l'école capitaliste, de la prolétarisation ? Les études de gauche y voient la seule raison. Un peu comme cet élitisme de droite avec ses voies accélérées ou allégées, qui cultive d'abord la copie conforme des « jeunes bien », quitte à créer des services pour les inadaptés.

Mais n'y a-t-il pas d'autres choses là-dessous ? Pourquoi ces dizaines de spécialités en enfance exceptionnelle ? On n'évoque jamais, entre autres raisons, ce qu'offre la constitution d'un secteur à part dit inadapté, en débouchés pour la nouvelle classe, et indirectement en substitut pour les surplus de professeurs à la suite de la baisse de natalité dont personne ne veut payer la note. Une mine d'or quand on sait le faible ratio professeur / élèves en ce secteur.

Et voilà qu'on se pile sur les pieds dans ce monde de l'enfance exceptionnelle. Les résultats médiocres créent une nouvelle vague critique. C'est un fait, les enfants exceptionnels sont trimbalés d'un professionnel à l'autre, d'un service à l'autre, sans être vraiment pris en charge par qui que ce soit. Il faut réintégrer ces enfants dans le secteur régulier, mais pas question d'une seule perte d'emploi. On dit que le tertiaire grandit irréversiblement et pour cause ! Bien avant les professeurs, travailleurs sociaux, psychologues de l'adaptation, sociologues de l'intégration ont su découvrir de nouvelles variétés « d'enfants à problèmes » à traiter, à programmer.

En cette année internationale de l'enfant, nous avons peut-être à réviser bien des choses. Ce diagnostic en dit long : « Voyez la ronde des spécialistes : thérapeutes de tout poil, pédiatres, psychologues, nourrices, nutritionnistes, pédagogues, éveilleurs de talents, découvreurs d'aptitudes. A chaque temps de la vie de l'enfant son spécialiste pour tranquilliser les parents et amoindrir leur rôle. L'enfant observé, testé, manipulé, rectifié, chacun sait ce qui est bon pour lui. Son destin est balisé ! » Allez concilier cela avec l'idéologie à la mode de l'autoconstruction. Pour l'enfant conçu dans la crainte, le remords et parfois la méfiance, on veut un milieu ouaté sans le moindre accroc. « Que la famille soit assurée, avant de le concevoir, de pouvoir le traiter dignement, le vêtir, le loger, le transporter. Que dans chaque classe les enfants soient de moins en moins nombreux. » La sécurité de l'éprouvette quoi ! Quel type d'homme peut bien en sortir ? Question que se posent bien peu de spécialistes qui vivent professionnellement de cette idéologie. Et si l'on se trouvait devant une sorte de modèle social reproduit partout ailleurs dans la société. Modèle dont le ridicule apparaît davantage à ce niveau premier d'humanité. Poursuivons dans cette veine.

L'éducation permanente

Le secteur de l'éducation permanente prend de l'ampleur. Une clientèle adulte à peine entamée. Un autre champ de débouchés pour la nouvelle classe. Des études nombreuses ont balisé le terrain. Les stratégies de communication les ont abondamment publicisées. On a vite compris la rentabilité non seulement de l'éducation populaire, mais de la pédagogie d'animation, de conscientisation, d'auto-éducation. Et puis les militants, les syndicats ont été mobilisés pour faire les pressions politiques. On est en train de préparer de nouveaux professionnels ad hoc. Pendant ce temps administrateurs universitaires, cégépiens et gouvernementaux hésitent. Les budgets ont déjà craqué. Mais, on ne pourra sans doute pas résister à cette poussée. Qui osera s'opposer à l'éducation... au cégep et à l'université surtout, même si la corporation syndicale situe cette plate-forme revendicative au chapitre de la sécurité d'emploi ! Des visées généreuses au service d'intérêts corporatifs et du prestige professionnel? Faut dire que chacune des têtes de pipe nouvelles draine quelques milliers de dollars des fonds publics, que l'« éducation des adultes » sert parfois à d'autres fins qu'elle-même.

Mais comment nier les besoins criants en éducation ? Il ne s'agit pas ici de les ignorer, mais d'interroger certaines réponses de luxe qui servent surtout à engraisser une nouvelle classe. Certains dossiers sur l'éducation permanente nous amèneraient à y investir plus de la moitié du budget de l'Etat. Somme qui irait en grande partie dans les goussets de qui ?

Dans un séminaire interfacultés, des étudiants à la maîtrise me disaient que l'unique finalité importante de l'économie, c'était des services universels et gratuits, sans avouer qu'ils allaient bientôt s'embaucher à fort salaire dans l'un ou l'autre de ces services. Ils avaient déjà intériorisé l'esprit de la nouvelle classe engoncée dans sa bonne conscience socialisante et prête à faire du Québec une superbureaucratie qui encadre une masse de citoyens dépendants. Une pédagogie du s'éduquant, d'autodéveloppement dans un tel cadre est vouée à l'échec. La nouvelle classe sait bien maquiller ses contradictions. Peut-être qu'il y a d'autres solutions moins « coûteuses » et plus propices à une authentique promotion collective, y compris en éducation.

La recherche

En matière de recherche et de développement (R D), nous sommes à la traîne. Au Québec et ailleurs au Canada, on y consacre à peine 1 p. cent du produit national brut, alors que plusieurs pays développés y vont de 2 à 4 p. cent ; 75.8 p. cent des détenteurs de doctorat résidant au Québec sont d'origine non québécoise, alors qu'on exporte 30 p. cent de diplômés, anglophones pour la plupart. De plus la recherche proprement industrielle est le parent pauvre. Donc un énorme retard à combler.

On est donc mal à l'aise pour tenter une évaluation critique du monde de la recherche, de son contexte social. Certains censeurs reprochent à bien des universitaires de se gargariser en ce domaine, de siphonner des fonds qui servent davantage à entretenir des jobs, et même à créer des « sous-systèmes d'autoreproduction de recherche à vide ». Ils citent en exemple ce dossier d'un syndicat professoral sur la recherche, dossier conçu en fonction de la promotion des professeurs ! Faut-il nier ici une certaine part de vérité ? Mais ne risque-t-on pas de disqualifier d'un même mouvement un secteur encore maigre et pourtant si important ?

Par ailleurs, peut-on éviter de s'interroger sur les priorités dans les champs et les orientations de la recherche, sur les budgets, sur les bénéficiaires ? Bien sûr, il s'agit d'un domaine qui exige le maximum d'espace libre et de risque ; d'un domaine où les critères de pertinence ne sont pas faciles à établir. Mais les chercheurs sérieux n'y gagnent pas à refuser au moins un certain cadre souple de contrôle pour justement éviter que des arrivistes, des cabotins, des spécialistes de la subvention accaparent des ressources précieuses. Certains travers de la nouvelle classe se rencontrent là comme ailleurs. Illich a-t-il tellement tort quand il affirme que les crédits à la recherche scientifique dépendent beaucoup de la position de force de telle ou telle profession, du lobbying le plus habile ou le plus fort ? Ecarter toute tentative de politique minimale, c'est laisser place à pareilles manoeuvres. Un champ aussi vital pour l'avenir ne saurait être livré à des luttes professionnelles, institutionnelles sans un sévère examen critique des divers intérêts en conflit.

La nouvelle classe s'est inventé astucieusement toute sorte de spécialisations parfois bien artificielles, par exemple une prospective prétentieuse qui permet aux prophètes sociaux, aux technocrates gouvernementaux, de « fabriquer des scénarios alternatifs » sophistiqués à souhait. Dans un tel contexte de manoeuvre, de quasi-sacralité, il n'est pas facile de démêler l'ivraie et le bon grain scientifiquement, politiquement ou même sagement. Tellement d'intérêts ambigus se croisent, qui sont rarement clarifiés, et sur lesquels les citoyens et les hommes politiques eux-mêmes n'ont pas de prise.

Une certaine gauche dénonce avec raison l'absence de démocratie économique, mais dans le champ de la nouvelle classe où elle s'ébat gracieusement, on note le même phénomène dont elle bénéficie sans le dire.

Les nouvelles politiques sociales

Dans la vaste panoplie des nouvelles politiques sociales, on retrouve des processus semblables. Par exemple, la production massive de nouveaux avocats crée un engorgement que seule l'extension aussi massive de l'assistance juridique et de d'autres mesures semblables saura décongestionner. Il en sera de même pour l'intérêt nouveau au troisième âge. Déjà l'essaimage des centres d'accueil sert d'issue au gouvernement et à la fédération syndicale des affaires sociales, qui s'affrontent sur la question cataclysmique de la restriction du personnel dans les hôpitaux. Comme en d'autres secteurs, et encore plus ici, le Québec se paie les services parmi les plus coûteux du monde. Personnel plus abondant, rémunération souvent plus élevée à presque tous les niveaux, pratique médicale dispendieuse et gaspilleuse (les dossiers comparatifs sont accablants). Tout le monde se renvoie la balle : administrateurs, médecins, employés pour s'accuser les uns les autres, alors que tous les corps organisés contribuent à une escalade artificielle des coûts. Il reste un seul dénominateur commun qui rallie dans une même critique les « intéressés » en conflit, à savoir la mesquinerie d'un gouvernement seul responsable de la baisse de qualité des soins.

Récemment un éminent médecin se fendait d'une longue étude sur l'échec de l'assurance-maladie, sur les méfaits des technocrates et des syndiqués. Pas un mot sur les abus du corps médical. Il suggérait une commission d'enquête dirigée par des médecins ! Qu'on redonne à la dimension professionnelle une meilleure voix au chapitre dans un cadre institutionnel moins soumis à une étroite logique technocratique, cela s'entend. Mais si c'est pour accentuer une lutte encore plus stérile entre les anciens corporatismes et les nouveaux, il y a de quoi s'inquiéter vraiment.

Ceux-ci comme ceux-là utilisent trop souvent les besoins de la population pour des fins autres que son bien-être. Une stratégie fréquente chez les divers corps organisés de la nouvelle classe. Je pense, par exemple, à l'énorme défi du vieillissement. Il y a ici une situation en or pour justifier les pourvoyeurs de service. Depuis 1950, le ratio : 1 retraité pour 25 travailleurs en place est passé à 1/5.

Avec un chômage aussi élevé, notre société tertiaire sans solide assise socio-économique se nourrit de sa substance, se boursoufle artificiellement jusqu'à une limite critique encore mal perçue, celle de deux mondes de plus en plus inégaux: les pourvoyeurs de service, et un nombre grandissant de citoyens dépendants, ahuris, impuissants, improductifs. Trop d'écrans, telle l'enfilade de projets de grandeur depuis 1960, cachent pareille situation. La nouvelle stratégie « régionalisante » du gouvernement pourrait bien multiplier les instances bureaucratiques des politiques sociales. Ouf!

Jusque dans le secteur privé

Il n'y a pas que l'hypertrophie des services publics. La nouvelle classe sait se rendre indispensable dans le secteur privé. La pénible histoire de Tricofil témoigne d'un excès qui existe d'une façon moins poussée, mais aussi fréquente en combien d'autres initiatives. Au cours des dernières années, cinq firmes de consultants, des dizaines de fonctionnaires, une vingtaine d'experts ultra-spécialisés sont intervenus dans le dossier de Tricofil à tour de rôle durant un bon moment. Plus que la centaine d'ouvriers à l'usine. Plus une large proportion de la masse salariale. Je ne compte pas ici le nombre incroyable de reporters, d'étudiants, de professeurs qui ont utilisé l'expérience « professionnellement » tout autant qu'idéologiquement. Je ne compte pas non plus les investissements indirects des autres instances éducatives et sociales de la région (service d'éducation aux adultes, bureau de la main-d'oeuvre locale, C.S.S.). Je ne compte pas tout le temps consacré aux discussions et débats dans divers ministères et au conseil des ministres.

Quelle foire incroyable où les travailleurs eux-mêmes deviennent les ultimes boucs émissaires des difficultés énormes que rencontre une initiative collective qui se voulait modeste au début! Des observateurs, non sans raison, y voient l'image d'un certain Québec contemporain. Image brûlante qui nous blesse tous. Reflet brutal de notre peu de réalisme socio-économique. Il est trop facile de tout ramener à l'exploitation des grands pouvoirs financiers étrangers. Une expérience comme celle-là met à nu nos propres problèmes, nos propres travers. Je ne crois pas que ce soit un cas à part. De Cabano à l'embardée des Olympiques, en passant par des milliers d'expériences récentes, nous voilà parvenus à un tournant qui exige à la fois une révision radicale de la foulée suivie depuis 1960 et une mise en chantier d'activités plus constructives, plus qualitatives avec tout ce que cela amène en sacrifice de satisfactions à court terme, en efforts personnels et collectifs courageux et intensifs. J'ai retenu ici un seul point critique: la responsabilité énorme d'une nouvelle classe qui a surprofité d'une prospérité artificielle sans rendre en travail les droits et privilèges acquis. Ici comme ailleurs, les exceptions confirment la règle.

Cette nouvelle classe s'est progressivement élargie de bien des façons. Je pense, par exemple, au secteur de la construction qui s'est corporatisée un peu à la manière des nouvelles professions bureaucratisées et syndiquées. Les drames récents de la restriction rigide des effectifs témoignent d'un atelier fermé spécial qui laisse peu de chance au renouvellement des effectifs, à l'entrée des jeunes. Ce cadre rigide conjugué avec des normes très privilégiées de salaires, de travail (mis à part les problèmes importants de sécurité) n'est pas étranger à la baisse radicale de l'industrie de la construction. « C'est ce qu'on appelle tuer soi-même la poule aux oeufs d'or », me le disaient des travailleurs récemment. Il ne reste qu'à forcer l'Etat à subventionner massivement l'habitation à loyers modiques. Encore ici de hauts salariés viendront aider de petits salariés. Je fais partie moi-même de cette énorme contradiction.

Agir efficacement ensemble

Une fois de plus, on retrouve le phénomène de contre-productivité de la nouvelle classe, peu importe le prix. Mais en l'occurrence, un chômage massif se retourne contre les concepteurs de ce néo-corporatisme. Bien sûr, il y a des problèmes majeurs qui viennent des grands pouvoirs économiques et politiques. Mais à ne centrer l'attention que sur cette causalité, on en vient à ne plus voir ou même à masquer des comportements semblables dans les corporations de la nouvelle classe, et cela jusque dans le syndicalisme.

Plus grave encore m'apparaît cette incapacité d'agir efficacement ensemble. Cela est un problème à la mesure de toute notre société et de la plupart des groupes et individus. Je ne parle pas ici de l'efficacité collective dans la revendication(!), mais dans des chantiers communs. Or, on s'attendrait à ce que les lourds investissements consentis pour former des compétences produisent un peu plus de fruits. Et cette attente concerne particulièrement la nouvelle classe qui a bénéficié de ces énormes ressources (empruntées à New York !). Nous allons d'une commission d'enquête à l'autre pour dénicher des boucs émissaires, pour cerner tel ou tel abus. Voyez l'enquête Malouf. Qui ose poser le problème sur une base plus large où le mécanisme du bouc émissaire ne jouera plus ? Feu le juge Cliche me disait, quelques jours avant sa mort, qu'il faudra bien en arriver là sans tomber dans l'ornière des grandes idéologies abstraites. Nous arrivions à la même conclusion : à savoir des *pratiques collectives inefficaces.* Problème encore plus grave que la mainmise du capitalisme étranger sur nos ressources. Bouter celui-ci dehors laisse entière cette question de fond qui se révèle particulièrement dans la quotidienneté des institutions qui nous appartiennent.

Oser, par exemple, relier le chômage à notre inefficacité collective, entre autres causes, est devenu un tabou. D'une semaine à l'autre, d'un mois à l'autre, on constate un chômage grandissant dans la nouvelle classe. Certes, la récession actuelle joue un rôle indéniable. Et il n'y a pas de relance économique à l'horizon. Devra-t-on surinvestir encore dans le secteur public pour accroître le personnel, embaucher des diplômés qui se sont massivement préparés à des fonctions tertiaires ?

Nous tardons trop à risquer au plan proprement technique et économique. Ce déséquilibre radical renforce un tertiaire déjà congestionné. La Révolution tranquille et ses prolongements ont suscité des embauches et des promotions relativement faciles et confortables. Ce qui nous aide à comprendre pourquoi la nouvelle classe bureaucratisée a peu de nerf. Elle multiplie les mesures d'autoprotection qui ne font qu'accroître les déficits publics et repousser des investissements à long terme qui seraient accompagnés d'inévitables sacrifices. Est-ce possible de corriger cet état de chose ? J'y reviendrai. Il nous faut d'abord bien comprendre les processus qui ont construit cette situation artificielle d'un tertiaire boursouflé et de la nouvelle classe. Nous allons peut-être trouver là une clé importante pour comprendre ce qui nous arrive.

6. Le processus de construction de la nouvelle classe

La Révolution tranquille a déclenché une mise en place d'organisations et de méthodes dites plus modernes, plus rationnelles, plus efficaces. « Rattrapage technologique », affirmait-on. En même temps, les réformes se voulaient toutes consacrées à la démocratisation, à la libération et à la promotion collective. D'où cette alliance, dans un premier temps, des spécialistes, des militants et des hommes politiques, avec un large agrément dans la population.

Il arrive que les technologies modernes de communication, de conscientisation, d'animation parviennent à créer ce genre de consensus. On parle beaucoup des stratèges publicitaires qui réussissent à fabriquer une certaine unanimité consommatoire standardisée par le marketing. Mais on oublie trop souvent le processus semblable de standardisation par les nouveaux concepteurs « sociaux » de besoins, de droits, d'aspirations.

Il ne s'agit pas de nier la pertinence d'une nouvelle conscience sociale et politique face aux injustices, aux libertés et aux droits fondamentaux, aux luttes de libération, mais il s'agit plutôt de décrypter les manoeuvres inavouées, les comportements piégés d'une nouvelle classe qui utilise cette conscience nouvelle à son avantage, en se taillant de très coûteux statuts corporatifs, bureaucratiques, professionnalistes, syndicalistes et même militantistes. Et cela, d'une façon aussi efficace que celle des stratèges des centres commerciaux.

Une hypothèse à vérifier

Le fameux « malaise profond », qu'on diagnostique dans les longues grèves de la nouvelle classe, a un je-ne-sais-quoi de faux, d'artificiel qu'il nous faut mieux déchiffrer.

Dans bien des domaines du secteur tertiaire, plusieurs luttes patronales-syndicales avec tout le panache idéologique et politique connu se limitent souvent « en pratique » à une bataille d'intérêts et de pouvoirs internes à la nouvelle classe.

Il faudrait réfléchir un moment sur ce diagnostic qui n'est pas mis en relief dans le débat public. On parle plutôt de la transposition du cadre industriel d'organisation dans des institutions qui ont une tout autre vocation. On évoque aussi le schéma dichotomique des grands pouvoirs face à ladite communauté de tous les travailleurs, tous embarqués dans le même sac idéologique comme si le fonctionnaire syndicalisé et l'ouvrier du textile partageaient le même sort.

Je ne nie pas la part de vérité de ces deux dernières explications. Mais s'y limiter, c'est faire oublier la réalité cruciale de la nouvelle classe et de son véritable jeu social et politique.

Après avoir apporté une série d'exemples, je voudrais maintenant décrire le processus qui tout au long de ses étapes nourrit les intérêts et la bourse des diverses catégories de la nouvelle classe.

Essayons donc de retracer le processus de construction de la nouvelle classe. La géographie humaine des champs de construction de notre secteur tertiaire public nous a apporté déjà tous les éléments nécessaires. Je suis frappé par la standardisation d'un même scénario reproduit à moult exemplaires dans les diverses institutions publiques, et de là, même dans plusieurs secteurs privés.

Première étape: les traqueurs de besoins imputés

A l'entrée de jeu, les enquêteurs, traqueurs de besoins plus « imputés » que ressentis, définiteurs de situation, « repéreurs » de nouveaux clients qui alimenteront la dépendance sociale et professionnelle. Ces sondages et études auront valeur d'infaillibilité scientifique et même de bible. Par exemple, de telles expertises ont pu servir à la Centrale des enseignants du Québec au chapitre de la sécurité d'emploi ou de l'accroissement des cotisants.

« Ce n'est plus le professionnel qui impute un besoin à son client. Mais un corps constitué qui impute un besoin à toute une classe de gens et qui se déclare alors mandaté pour examiner la totalité d'une population afin d'identifier ceux qui appartiennent au groupe des patients potentiels... comme les banquiers internationaux diagnostiquent les maux d'un pays d'Afrique et le persuadent d'ingurgiter la potion qu'ils prescrivent. » (Y. Illich, *Le chômage créateur,* p. 45.) Et cela avec toutes les garanties d'objectivité scientifique, de neutralité technocratique et pourquoi pas de militance philanthropique.

A droite ou à gauche, cette première étape du processus se ressemble dans les deux cas. La fragmentation des besoins permet aux enquêteurs-chercheurs d'offrir en filigrane une explication idéologique (toujours globale). Celle-ci sera présentée comme un diagnostic scientifique par ces premiers experts ès bien public ou ès bien populaire ou ouvrier. Avec les années, sous le nom noble de la recherche, les spécialistes enquêteurs ont obtenu des sommes rondelettes pour ne pas dire fabuleuses. Pensons aux milliers de tonnes de dossiers, de rapports et de mémoires, sans compter les centaines de Livres verts, blancs ou autres. Gouvernement, partis, patronat, centrales syndicales ont leur « sondeurs », leurs enquêteurs qui savent choisir leurs questions dans l'intérêt de leurs pourvoyeurs de fonds.

Deuxième étape, les communicateurs

Après les enquêteurs, viennent les communicateurs, les relationnistes, les agents d'information, etc., qui se doivent d'être aussi efficaces que les publicitaires. Un autre débouché extraordinaire pour la nouvelle classe. Les universités avant-gardistes ont bien senti le sens du vent en développant plusieurs spécialités de ce type.

Ainsi, des situations, d'abord investiguées par des chercheurs, connaissent un traitement au deuxième degré par une nouvelle catégorie d'interprètes vulgarisateurs qui informeront le public sur des situations qu'il vit ou connaît directement.

Je me souviens de cet ouvrier militant qui s'était fortement impliqué dans une longue lutte et qui me faisait part de cette remarque :

« Depuis deux ans, des dizaines de reporters me sont passés sur le corps depuis la parution de la première enquête sur notre situation. Je me rends compte aujourd'hui que j'ai adopté leurs yeux et leur bouche, leur vocabulaire et leur façon de voir. »

Par-delà ce problème grave, ou en deçà, se posent d'autres problèmes. La communication fait partie de l'appareil lourd et complexe de nos transactions modernes de tous ordres. J'ai plus d'une fois tenté de me faire une idée précise de la véritable situation dix fois expliquée dans les media, par exemple, à l'occasion de certaines grèves. Peine perdue, il fallait m'y prendre autrement pour acquérir des informations clés. Et pourtant des dizaines de reporters, d'agents de communication avaient été mobilisés pour un tel rôle.

Sans compter le fait que souvent les parties concernées se parlent à travers les spécialistes de la communication. Symptôme d'une pratique démocratique très pauvre.

Troisième étape : les conscientisateurs

Les besoins sociaux traqués, redéfinis, publicisés ne s'imposent pas d'eux-mêmes, il faut des conscientisateurs, des animateurs, des militants très près des gens concernés, alliés inattaquables, évidemment « progressistes ». La nouvelle classe est polyvalente. Avouons qu'une certaine animation trop militante et même dogmatique a régressé, après les échecs de charriage trop évident. Aujourd'hui, les techniques se sont sophistiquées. Pensons à la toute dernière en liste : l'analyse institutionnelle. Sans compter la toujours fameuse grille marxiste pour les conscientisateurs de l'autre côté de la barricade. La nouvelle classe est des deux bords.

Notons ici que les situations vues à ce troisième degré d'interprétation... ou d'abstraction reçoivent un traitement en conséquence. Je suis de plus en plus frappé par les graves difficultés que provoquent ces processus de plus en plus sophistiqués en abstraction dans les pratiques sociales actuelles et surtout dans la conscience et la vie des citoyens instruits ou non instruits. Une sorte d'impuissance, même face à la saisie de sa propre expérience, face au contact direct avec la réalité. Cela ne condamne pas l'importance de solides outils rationnels, mais l'utilisation quasi magique que leur assignent même les spécialistes de la nouvelle classe concernée. Encore ici, il y a bien des mystifications très rentables, bien insérées dans le processus de construction de la nouvelle classe.

Quatrième étape : les professionnels ad hoc

S'amènent les professionnels anciens et nouveaux qui se démultiplient par les spécialités ad hoc, sur mesure, et contribuent à créer la société de l'hyperservice, correspondante au supermarché. Illich dira méchamment : « Les nouveaux spécialistes, qui sont habituellement les pourvoyeurs des besoins humains que leur spécialité a définis, tendent à se prévaloir d'un amour — tout artificiel — du prochain pour lui administrer leurs soins. Ils sont plus profondément retranchés qu'une bureaucratie byzantine, plus internationaux qu'une Eglise universelle, plus stables qu'un syndicat, plus capables qu'un sorcier et plus accrochés à leurs clients qu'une mafia. » (Op. cit., p. 41.) Chaque nouvelle spécialité pour produire son service et le rendre nécessaire a souvent besoin des étapes précédentes du processus. Il faut gagner le public, et surtout le législateur, car il y aura nouvelle ponction sur le budget et aussi exigence d'une garantie juridique monopolistique, sanctionnée par l'office des professions, avec pouvoir d'Etat.

Je décris ici un processus habituel, dans ses traits généraux et dans ses étapes principales. En chacun des cas, il existe des modalités particulières, des voies plus directes, des chevauchements d'étapes, des conjugaisons originales du néo-professionnalisme et du syndicalisme.

Je trouve étrange qu'on ait si peu réfléchi sur les formes modernes du pouvoir professionnel corporatif, pour ne retenir que le rapport syndicat-patronat et le jeu idéologique qui l'accompagne. Cela nous joue de mauvais tours dans l'évaluation de la transmutation récente de corporations en syndicats, comme chez les professeurs. Ce qui permet d'utiliser une légitimation idéologique ouvriériste pour masquer des intérêts professionnels parfois exorbitants et mesquins.

Le «pouvoir professionnel», plus important qu'on ne le pense, suivra donc souvent les étapes précédentes jusqu'à l'Etat en passant par la sanction juridique grâce à la légitimation syndicale (intérêts de tous les travailleurs), en plusieurs cas. Cette sorte de mécanique de construction de la nouvelle classe n'est pas forcément la résultante de stratégies machiavéliques, mais d'un jeu ambigu d'intérêts. Jeu mal évalué comme à la CEQ où les deux camps opposés se renforcent paradoxalement l'un l'autre dans le sens du « pouvoir » professionnel de la nouvelle classe. Les militants radicaux contribuent tout autant à cette mécanique, mais leur idéologie fait office ici de fausse conscience. J'ai déjà montré comment s'est construit le secteur : enfance exceptionnelle. Mais ce n'est là qu'un exemple entre cent. Il suffit de suivre l'évolution récente des corps de métiers et des professions, sans compter les nouvelles « spécialités » qui ont aussi à s'imposer.

Cinquième étape : la sanction juridique

La légitimation juridique vient s'ajouter pour qu'on n'ait pas trop l'air de s'investir soi-même de sa mission. « Tout nouveau besoin professionnellement avéré prend, tôt ou tard, la forme d'un droit » qui sera avalisé par une loi. La standardisation du besoin, du client, du diagnostic, du statut professionnel ad hoc, du service est maintenant assez codifiée pour aspirer au régime universel de la prochaine étape. Dans un monde latin et catholique très légaliste, le droit règne en maître pour légitimer l'autoritarisme bureaucratique, professionnel ou syndical des nouveaux curés !

Ces remarques un peu méchantes ne sont pas gratuites. Il serait d'abord intéressant de fouiller le nouveau contexte de rôles anciens et nouveaux joués par les avocats, la magistrature et les processus législatifs au gouvernement. On a parlé, non sans une part de vérité, du règne des avocats dans l'univers bureaucratique. Phénomène plus quotidien, plus révélateur que celui d'hommes politiques recrutés de plus en plus chez les journalistes, chez les intellectuels et chez les professeurs. Je dirais même que les économistes cèdent le pas aux avocats qui ont fait preuve d'une extraordinaire adaptation. Mais redisons que la bureaucratisation les a bien servis.

Signalons aussi que la complexité grandissante de toutes les transactions de la société, financières et sociales, ne trouve souvent qu'un dénominateur commun : le code juridique. Voyez beaucoup de débats actuels qui y aboutissent, de l'avortement au front commun, de la santé au pacte de l'auto, etc. Mais c'est dans la quotidienneté que se vérifie l'impact de ce pan-légalisme. Avant la rencontre des parties, les avocats respectifs vont aménager le terrain de négociation, d'affrontement, de solutions éventuelles. Ils seront présents tout au long du processus ; et la nouvelle convention collective portera leur marque au point qu'il faudra recourir à eux régulièrement pour l'interpréter.

Le processus juridique habite donc de part en part l'activité bureaucratique des nouveaux pouvoirs et des anciens. Il s'inscrit très bien dans celui de la construction de la nouvelle classe.

Sixième étape : l'Etat-outil de la nouvelle classe

Tout est prêt pour que l'Etat et ses fonctionnaires jouent leur rôle à leur tour. On critique habituellement cette sixième étape comme si elle était la source des cinq autres. C'est méconnaître le processus de la décision politique et ce qui l'a amenée. Beaucoup de pouvoirs se sont imposés, même avant celui des fonctionnaires, autres boucs émissaires de tous les maux qu'on loge au « gouvernement ».

Cette prise à partie courante, simpliste, unilatérale de l'Etat, de ses politiciens, de ses fonctionnaires est une autre façon superficielle d'escamoter la construction complexe de notre réalité sociétaire. Beaucoup de problèmes dits étatiques sont des conséquences de comportements et d'influences trop ignorés par bien des scénarios scientifiques, idéologiques ou par les opinions des citoyens eux-mêmes. Ce déchiffrage du processus de construction de la nouvelle classe en témoigne. Je l'ai mis en relief non seulement à cause de son rôle important, mais aussi parce qu'il est l'exemple peut-être le plus évident de certains aveuglements idéologiques.

En effet, la fonction politique comme telle des gouvernements est bien fragile non seulement face aux grands pouvoirs financiers, mais face à la nouvelle classe tertiaire avec ses corporations professionnelles et syndicales monopolistiques, tel un holding d'entreprises en services qui, plus que l'Etat lui-même et les parlementaires, ont les règles du jeu en main, la « source de prestige et de contrôle ». Bien sûr, l'Etat apparaît l'administrateur suprême. Tout le monde s'y donne rendez-vous. Mais la plupart des citoyens n'y voient que la pointe de l'iceberg. Au-dessous, il y a l'immense panoplie des pouvoirs administratifs, professionnels et syndicaux logés dans les « nouveaux bureaux-sanctuaires » du bien-être, de la santé, de l'éducation et des autres services.

Se mystifier soi-même

Au fait, les grands bénéficiaires sont d'abord et avant tout les pourvoyeurs de services, un peu comme les marchands du centre commercial dans le marché libre ! Mais ceux-ci, on le sait plus clairement, cachent avec plus de difficulté leur profit derrière leur slogan de « service ». Les technocrates publics du bien-être, cadres, professionnels, syndiqués ont la grâce automatique du désintéressement. Tous ces establishments peuvent se mystifier eux-mêmes, en se disant véritables serviteurs du peuple puisqu'ils ne travaillent pas dans des institutions à but lucratif. Donc, ils ne cherchent pas leur profit ! Or, j'ai déjà montré comment dans ce contexte, on peut exploiter avec une marge énorme de liberté le bien public. Donnée trop peu reconnue dans les idéologies socialisantes des dernières décennies.

La population elle-même est souvent inconsciente de ses propres attitudes et surtout de ses adhésions non critiques à la vertu automatique des services publics. Il ne faut pas se méprendre sur les résultats d'enquête, même auprès de la clientèle des services publics. Ils peuvent être aussi piégés que les études sur la satisfaction au travail, dans la mesure où la majorité des gens ont intériorisé et accepté le style tertiaire d'une société de l'hyper-service universel, gratuit. « Après tout on ne paie pas, il ne faut pas faire les difficiles. » Cela explique, en partie, le fait que tant de citoyens aient mis du temps avant d'établir un rapport entre notre tertiaire maximal et notre record en taxation. Certes, on est sensible à la congestion des services publics, aux files d'attente. *Mais la relative passivité satisfaite et dépendante de la majorité silencieuse laisse entendre que, comme les marchands, la nouvelle classe, professionnellement ou syndicalement,* sait vendre ses produits !

Un cas type aberrant

Je viens de démontrer la mécanique de base qui a servi au façonnement de la nouvelle classe. L'exemple le plus récent est celui des policiers. Voyez-les utiliser la nouvelle législation sur la protection de la jeunesse pour aller chercher de nouveaux avantages corporatifs. Mais il y a plus grave. Nous sommes ici en face d'une accumulation d'absurdités qui débordent la mécanique de base que nous venons d'identifier. « Le budget de la police de la CUM représente presque la moitié de l'ensemble des dépenses de tous les services, soit $193 millions sur un budget de $400 millions. »

A titre de comparaison voyons la situation correspondante à Toronto : 5 605 policiers coûtent $161 millions (moyenne $25,000) ; ici à Montréal 5 154 policiers coûtent $193 millions (moyenne $30,000). Rappelons-nous certaines batailles faites au nom de la parité ! Comment expliquer que nous soyons parvenus à concéder les avantages marginaux les plus coûteux en Amérique, comme si nous étions les plus riches de tout le continent. Coût en salaires et en bénéfices marginaux: 27 p. cent plus élevé qu'à Toronto. Coût horaire de $21.

Florian Bernard établit cette autre comparaison: « En 1978, le salaire moyen dans l'industrie manufacturière était de $12,250 plus 16 p. cent d'avantages sociaux, la même année le salaire moyen du policier de la CUM était de $19,025 plus 44 p. cent d'avantages sociaux. Conditions plus difficiles de travail, risques plus élevés? Encore ici, il y a de belles entourloupettes, puisque bien d'autres secteurs de travail, de rémunération parfois deux fois moindre, comportent plus de risques et des conditions de travail plus pénibles.

Comment alors qualifier pareille aberration? Voyez-en les conséquences. Qui n'a pas de bonnes raisons pour exiger un traitement semblable à celui des policiers? Par ailleurs, ceux de la nouvelle classe qui ont dû poursuivre leurs études jusqu'à 24 ou 25 ans peuvent à leur tour revendiquer au départ un plancher très coûteux pour un rattrapage en relation avec celui du jeune policier de 19 ans. D'où un processus en chaîne de revendications qui nous conduisent à une structure de salaires aussi démente que celle des revenus des « capitalistes ». Les petits salariés sans force de chantage attendront longtemps les effets d'entraînement puisque les plus forts se seront servis les premiers. Et l'argent ne pousse pas dans les pommiers. Qui paie les plus dures factures dans tout cela?

Une base sociale toujours aussi impuissante

Très peu d'analystes ont évalué les conséquences de ce processus de construction de la nouvelle classe, à savoir non seulement toujours plus d'Etat, de fonctionnarisme, de lourdeur administrative et de taxation, mais surtout toujours plus de dépendance, de réponse toute faite, de standardisation médiocre et surtout d'érosion des capacités individuelles et collectives de se prendre en main. J'ai déjà signalé que même dans des secteurs d'auto-organisation, les spécialistes nouvelle vague de tous ordres ont tôt fait de s'imposer sans en avoir l'air.

Nous venons de décrypter un processus d'autoreproduction d'un système tertiaire trop souvent stérile et d'une nouvelle classe qui en profite plus qu'elle ne le sert. Ce processus, on le retrouve dans presque tous les secteurs de la vie publique, comme une sorte de mécanique sociale, et de rituel itératif rarement mis en cause. Et cela, à des milliers d'exemplaires. Souvent conçue pour résoudre des crises, sinon des problèmes graves et complexes, cette mécanique devient vite rouage permanent de toutes les machines institutionnelles. Beaucoup d'études contemporaines sur la bureaucratie sont restées en deçà du processus de construction de la nouvelle classe qui est une dimension très importante de l'univers techno-bureaucratique, une donnée primordiale sur l'échiquier idéologico-politique, un changement majeur dans la structure de classes.

Ce qu'il faut retenir pour le moment, c'est le fait que les discours idéologiques, les combats officiels et même les repères critiques qui servent à leur évaluation laissent en veilleuse ce jeu très complexe et subtil du professionnalisme, du syndicalisme et de la technocratie dans la nouvelle classe (ce qui permet précisément de parler d'*une* nouvelle classe). Un tel jeu ne fait plus l'objet d'une sérieuse évaluation par les divers acteurs, parce que c'est justement là où se logent certains intérêts communs très puissants, comme nous l'avons vu. On y trouverait un des principaux obstacles à des changements qualitatifs, à un délestage des lourdeurs bureaucratiques, à un meilleur service et à une démocratisation plus efficace.

Je l'ai tant de fois constaté en remontant le cheminement critique de fréquents culs-de-sac de tous ordres. Je pense à la difficulté incroyable d'évaluer le rendement, la compétence ou le produit au bout de la ligne de coûteux et longs processus d'organisation. On a à peine exploré la panoplie des stratégies spontanées ou systématiques de blocage, de diversion, de rationalisation pour éviter de répondre de ses actes, de ses responsabilités et de ses intérêts inavoués. Dans un autre ordre d'idée, il ne faudra pas compter sur la nouvelle classe, même dans sa branche syndicale, pour lutter en vue du revenu garanti chez les classes infériorisées, car un tel régime simplifierait à son désavantage la mécanique que je viens de démonter. Tous ces problèmes sont vite attribués aux carences gouvernementales. Moyen infaillible pour s'en laver les mains, pour garder sa virginité, pour rallier bien du monde à sa cause, pour faire oublier ses intérêts. Quelle aubaine !

Mais il faut aller plus loin pour en saisir tous les prolongements. Des prolongements trop peu élucidés, non seulement pour comprendre les difficultés actuelles, mais pour pointer les solutions possibles. Je voudrais m'attarder un moment aux nouveaux monopoles et cartels constitués par la nouvelle classe. Monopoles qui ressemblent étrangement aux monopoles économiques que la branche radicale de cette nouvelle classe dénonce à grands cris idéologiques.

7. Les monopoles de la nouvelle classe

Nouveaux genres de monopole, de cartel

En dessous des pratiques typiques et courantes de la nouvelle classe bureaucratisée, il y a des structures monopolistiques nouvelles qui sous-tendent ces pratiques.

Disons d'abord que dans l'univers bureaucratisé tout se déroule au bureau ! Qu'on me passe cette tautologie ou cette redondance. On ne s'y arrête pas assez. Pensons à la quasi-disparition des visites à domicile par les médecins depuis l'instauration de l'assurance-maladie. Ce qui ne condamne pas celle-ci, mais plutôt les travers bureaucratiques qui l'ont accompagnée. Mais ne cherchons pas des boucs émissaires. La nouvelle classe se ressemble de part en part, qu'il s'agisse des anciennes élites et des professions traditionnelles redéfinies ou des toutes récentes, qu'il s'agisse des corporations syndicales publiques.

Elles ont en commun la possibilité de mettre à genoux la population et les gouvernements à tous niveaux, tel le chantage des services essentiels. Avec un brin de cynisme, j'ai le goût de dire que Bell Canada a beaucoup de petits frères dans le vaste univers des services monopolistiques. Il y a une même stratégie de fond chez les grosses corporations financières, industrielles, professionnelles, syndicales. Le jeu du holding n'est pas exclusif aux premières, ni la soif d'un pouvoir unique et le souci d'un contrôle absolu. On est moins alerté face à des phénomènes semblables dans l'aire du tertiaire public.

Les nouveaux monopoles et cartels publics ou semi-publics, opérant sans but lucratif, cachent admirablement bien les intérêts privés poursuivis par les « serviteurs » du public... et la montée extraordinaire d'une caste de bureaucrates privilégiés. Même dans les centrales syndicales, les employés ont souvent des avantages sans proportion avec la condition des troupes. Il s'agit d'ouvrir la voie aux autres, n'est-ce pas ? Une légitimation très rentable ! Allez voir la convention collective de ces employés. Un chef-d'oeuvre, un archétype pour la nouvelle classe !

Eh oui ! au Québec comme ailleurs, dans la plupart des sociétés modernes, toutes bureaucratisées, il y a de nouveaux holdings, de nouveaux conglomérats, de nouveaux monopoles... publics. Peut-être plus exclusifs et absolus que ceux du secteur privé. Mais cette fois, sans obligation d'être rentables, sans sanctions financières. Comme me disait un cadre supérieur dans une négociation publique : « Si les syndiqués exagèrent dans leurs revendications, nous, on s'en fout, c'est le gouvernement qui va payer, et nos salaires vont grimper ipso facto. Tout de même, les cadres doivent avoir une meilleure rémunération que leurs employés. Sinon, qui voudra assumer des responsabilités de leadership de plus en plus difficiles, pour ne pas dire intenables... non administrables ? »

L'endroit de la médaille

Certains me diront ici que pareil effort d'autocritique peut divertir l'attention d'un plus grave problème, à savoir cette domination des grands pouvoirs économiques qui s'asservissent même les gouvernements les plus forts. Une lutte gigantesque est à entreprendre. Il faut, par exemple, de fortes concentrations syndicales nationales et internationales pour faire face aux monopoles les plus inquiétants de tous. Pensons à la mendicité humiliante d'Ottawa et de Québec face à GM ou à Ford, avec de fortes subventions en main. Voilà une situation monopolistique autrement plus redoutable.

Comment ignorer, par exemple, au chapitre fiscal ces données brutales : « Depuis 25 ans, les contributions des corporations aux recettes fiscales sont tombées de 50 à 16 p. cent tandis que celles des particuliers sont passées de 28 à 51 p. cent.» Comment ignorer que les freins fiscaux, monétaires et salariaux appliqués par les gouvernements, l'ont été d'abord en fonction de mater les salariés ? Après la stratégie inhumaine de l'utilisation du chômage comme instrument de stabilisation et de réduction du taux d'inflation, viennent s'ajouter celles des restrictions budgétaires et de l'alignement du secteur public sur le secteur privé. On sait que les travailleurs de celui-ci, dans les circonstances, n'ont plus grand pouvoir de négociation soit à cause de la crise de plusieurs entreprises mal en point, soit à cause du chantage des grandes corporations qui peuvent quitter les lieux ou échapper à toute forme de contrôle gouvernemental établi en vue de l'intérêt général du pays. C'est ainsi que Northern Telecom qui s'enrichit à même des jeux financiers bien connus entre société mère et filiale, et aussi à même l'argent des Canadiens, déplace plusieurs de ses activités aux Etats-Unis. Et les gouvernements n'y peuvent rien.

Et l'envers ?

Tous ces arguments devraient suffire pour justifier la stratégie syndicale d'un front commun « locomotive » dans le secteur public, seule plate-forme possible pour améliorer la condition de l'ensemble des travailleurs. Cette logique simple apparaît claire et irréfutable. Voilà la stratégie suivie depuis 1972 particulièrement au Québec. Il est temps de l'évaluer d'une façon aussi libre que responsable et juste.

Aux abords de 1980, l'écart entre les salariés du secteur public et ceux du secteur privé a grandi au point d'atteindre une moyenne de 16,3 p. cent au profit des premiers. Notons que dans le cadre d'un régime fiscal qui ne changera pas radicalement très bientôt, les gains du secteur public provoquent immédiatement et directement une augmentation du coût des services et des taxes. Or, les salariés du secteur privé se trouvent ici doublement impuissants, devant leurs propres employeurs, devant les gouvernements, tout en contribuant lourdement à financer leurs homologues du secteur public.

Chez les radicaux de la nouvelle classe, c'est un tabou que de mentionner cet état de choses, peu importe si les travailleurs du secteur privé en parlent abondamment tous les jours. Langage inconnu dans les milieux des nouveaux clercs. L'agressivité contre le syndicalisme public est largement répandue dans le monde des travailleurs du secteur privé. L'expliquer comme la conséquence de l'influence de la presse bourgeoise manifeste une imposture, sinon un aveuglement désastreux pour l'avenir du syndicalisme lui-même et pour sa crédibilité politique.

Combien de travailleurs ont reconnu cette supposée communauté d'intérêt et d'idéologie dans la suite interminable de grèves à l'UQAM, aux Postes pour ne nommer que celles-là ? Bien sûr, le virage à droite chez une forte proportion de la population n'a rien à voir avec cela ! Telles les élections à la CECM, tel l'échec plus récent du RCM. Et on n'a pas fini d'en voir, particulièrement au chapitre des élections, seul endroit où les contribuables-travailleurs peuvent exprimer d'une façon vérifiable leur état d'esprit. Expliquons-nous.

Par exemple, ces contribuables-travailleurs n'ont aucune possibilité de signifier leur accord ou leur désaccord avec les revendications de la CEQ qui, par ailleurs, parle souvent en leur nom. Voyez le capharnaüm politique qui en résulte. Une forte proportion de professeurs qui votent péquiste. Une Centrale qui considère le gouvernement péquiste comme « petit-bourgeois » ennemi des travailleurs, une plate-forme aussi petite-bourgeoise où la nouvelle classe réclame, entre autres, le congé de paternité alors que la majorité des femmes ouvrières ont peine à avoir un congé de maternité décent. Une population ouvrière aussi impuissante qu'agressive devant moult revendications de la CEQ, telles les 1 000 ou 1 200 minutes/semaine pour créer une école dite de masse.

Ces entourloupettes de la nouvelle classe dite radicale se justifient-elles par l'objectif légitime du relèvement de salaire du personnel de soutien ? On a vu pareil subterfuge des méchants capitalistes ou même des naïfs socio-démocrates qui ont utilisé la guerre contre la pauvreté pour éviter ce qui compromettrait des règles du jeu à leur avantage. Chez nous, ces deux subterfuges s'additionnent. Ils produisent une sorte d'effet pervers : réduire le comportement politique à une réaction sécuritaire très simpliste comme on l'a vu aux dernières élections de Drapeau.

Cette ligne d'interprétation n'a rien d'une thèse, elle n'en porte pas moins de nombreux indices autrement plus réels que cette « communauté d'idéologie et d'intérêt de tous les travailleurs » proclamée avant tout par le syndicalisme public. Celui-ci a avantage à ce que la plus grande partie des ressources publiques soit engagée précisément là où la nouvelle classe touche directement ses revenus, et peut jouer un jeu crypto-corporatiste pour s'acheminer vers un contrôle effectif des règles du jeu, de par sa situation monopolistique. Une population prise à la gorge dans ses services essentiels ira forcément à droite puisque, à ses yeux, l'étau sera identifié comme une stratégie de gauche.

Une supercentrale, autre hypothèse

Certains pensent que la constitution d'une supercentrale regroupant tous les salariés non cadres permettrait de sortir de ces contradictions accumulées, et aussi de situer les revendications des uns et des autres dans un ensemble politique plus cohérent, plus clair. Voilà une hypothèse à considérer sérieusement. Bien sûr, il faut craindre ici une immense bureaucratisation qui éloignerait encore plus le syndicalisme de ses enracinements locaux. Mais de toute façon, il y a une concentration croissante du côté du pouvoir économique et de l'Etat lui-même. On serait en face d'une nécessité historique. Voyons cette hypothèse telle qu'elle a été exprimée dans un dossier récent.

Le bureau national de la CEQ et le comité exécutif de la CSN, dans la foulée des fronts communs du passé et à venir, publiaient une « Déclaration d'intention relative à l'unité syndicale ». Il y est question d'évaluer la possibilité d'« une coalition de type cartel », d'« une fusion par voie d'affiliation », de la « fondation d'une nouvelle centrale ». S'oriente-t-on vers un autre super-appareil bureaucratique monopolistique pour la nouvelle classe ? Evidemment, on ne le présente pas en ces termes. On évoque l'« instinct d'unité des travailleurs », l'« unité organique du mouvement ouvrier » (téléguidé par la nouvelle classe des syndiqués du secteur public!). Il y est question fréquemment des monopoles capitalistes. D'aucuns aimeraient voir un peu plus clair sur ce monopole nouveau qui veut s'attaquer aux autres efficacement... « dans le cadre d'une organisation syndicale de type unitaire, entièrement aux mains des travailleurs québécois ».

Ce langage ouvriériste (peu d'ouvriers là-dedans), démagogique, bureaucratique commence à éveiller des doutes. On l'a vu dans l'évolution de la majorité des professeurs qui ont dû réagir fortement pour redonner un peu plus de poids à la base et pour faire très difficilement un changement dans leur propre establishment clérical et doctrinal!

Imaginez cette supercentrale noyautée par les technocrates et les idéologues qu'on connaît. Le vocabulaire et la problématique du dossier n'ont pas évolué d'un pouce depuis les grands dossiers du début de la décennie où l'on dénonçait sans rien annoncer. Et voilà... une supercentrale! Préfiguration du genre de solution, de pouvoir, d'Etat, de société qu'on veut instaurer? Tel un pouvoir unique qui fait fi de la diversité idéologique et démocratique réelle.

Je me demande si un parti des travailleurs, avec adhésion libre de ceux qui partagent la ligne idéologique de ce prétendu socialisme pur, ne constituerait pas une démarche plus honnête, plus démocratique. Car dans cet univers syndical de plus en plus bureaucratisé — il pourrait en être autrement — la pratique démocratique et le poids de la base sont souvent marginalisés par plusieurs tamisages d'un palier à l'autre. Nier cet état de fait, c'est se préparer d'amères illusions, comme chez les radicaux de la CEQ et tantôt de la CSN. Des groupes de syndiqués vont se retirer, s'organiser à côté.

Déjà le processus est amorcé. Il est renforcé par le néo-corporatisme et le néo-protectionnisme qui se répand dans la nouvelle classe menacée à son tour par le chômage. En combien de syndicats, veut-on se surprotéger au point de ne laisser entrer aucun sang nouveau? Pensons à ce fait tragique d'un 25 p. cent de jeunes en chômage chez nous.

On dira que l'unité visée dans le dossier précité veut précisément dépasser à la fois ce syndicalisme corporatif et implicitement vaincre le syndicalisme d'affaires du secteur privé regroupé surtout à la FTQ. Mais là aussi, nous l'avons vu, l'unité d'instinct ou d'idéologie alléguée, décrétée ou présupposée survole d'énormes conflits d' *intérêts* que la nouvelle classe dite radicale a intérêt à ignorer, ou du moins à mettre en veilleuse pour asseoir son pouvoir.

Comment les travailleurs du privé pourront-ils se trouver un intérêt commun avec leurs homologues qui ont des *jobs à vie* et des avantages sans proportion avec leurs conditions, surtout ici au Québec ? Une usine peut fermer ses portes, mais non un service public. Voilà deux situations, entre autres, radicalement différentes, et l'unité idéologique présupposée ne saurait les rayer d'un trait de plume bureaucratique. A travers l'éventuelle supercentrale aux mains de cette nouvelle classe, on voit le monde ouvrier comme dans la caverne de Platon... plutôt son ombre que sa réalité. Ce langage révolutionnaire avec son monolithisme idéologique devient ici mythique et mystificateur, dans la mesure où il prétend que cette supercentrale sera une « création de la base ».

Encore moins, les petits salariés pourront-ils souscrire à cette idéologie des syndicalistes de luxe qui mettent dans la bouche de ces travailleurs : « Nous nous sommes trouvés en pratique (ouf !) une communauté d'intérêts à court terme (!) et à long terme (?). » Quelle simplification abusive ! Cette supercentrale aurait le « mandat permanent de formuler en toute indépendance l'ensemble des revendications de la classe ouvrière ». Ce que les establishments bureaucratiques peuvent se ressembler : « indépendance », « objectivité », « intérêt général », etc. Et dire que ces idéologues radicaux reprochent au Parti québécois de discourir sur une unité, sur une unanimité factice du peuple québécois. Mais revenons au pays réel, tout autre.

Un univers intégré de classes moyennes

Si l'on parlait ici davantage des classes moyennes plutôt que de la petite bourgeoisie, la nouvelle classe publique, syndiquée, dite de gauche devrait s'inclure, se reconnaître telle qu'elle est, à savoir bien intégrée à l'univers idéologique plus réel des classes moyennes. Le silence est ici on ne peut plus significatif. Essayons d'y voir clair.

Pour qui connaît un peu le jeu étatique moderne dans les sociétés libérales, il apparaît de plus en plus clairement que même les transferts gagnés par le syndicalisme ne suivent pas la ligne universelle d'impôt, non seulement à cause de la fiscalité particulière des grosses corporations financières, mais aussi à cause du crypto-capitalisme des gros syndicats publics fortement corporatifs, sans compter le fait que les classes moyennes savent mieux obtenir de l'Etat ce qu'elles veulent.

Les chiffres sont accablants. Ils concordent de toute part, ceux des centrales syndicales, de l'Office de planification du Québec, du Conseil économique du Canada, de la Commission sénatoriale d'enquête sur la pauvreté, du dossier Prospective socio-économique du Québec, de la recherche récente sur les petits salariés québécois. Les écarts n'ont pas diminué. Même à l'Assurance-chômage, on admet que les classes moyennes utilisent habilement le système actuel à leur profit et faussent radicalement cette politique sociale. En techno-bureaucratie, on travaille sur des moyennes abstraites, au grand profit de l'homme dit moyen.

De plus, certains tests de vérité pourraient bien nous apporter des surprises. Par exemple, des résistances syndicales chez les agents sociaux devant une simplification des structures du bien-être. Des postes disparaîtraient. Qu'est-ce qui va l'emporter ? Les avantages de justice, en l'occurrence, pour les assistés et les petits salariés ou les intérêts des membres de la nouvelle classe ? Ces questions ne sont pas hypothétiques. On l'a vu dans les problèmes récents des services hospitaliers, dans ceux des Postes ou d'ailleurs. Faire croire à la communauté d'intérêts de tous les travailleurs, c'est demander une adhésion naïve à une fiction syndicale très dangereuse, justement parce qu'elle se prétend prolétarienne. On a moqué les « bonnes intentions » des libéraux, la « fausse conscience idéologique » des capitalistes, faudra-t-il y aller de la même critique avec la nouvelle classe cléricale des serviteurs du peuple?

Je puis comprendre que les petits salariés érigent en absolu un syndicalisme qui est leur seul instrument de libération et de promotion, mais que la nouvelle classe se serve de ce même syndicalisme radical en plus d'autres canaux comme le professionnalisme pour obtenir des avantages exorbitants et imposer son pouvoir, cela est inacceptable. Au cours des derniers fronts communs, on a vu des professionnels et gros syndiqués reculer très vite au chapitre de la réduction d'écart dans la phase décisive des ententes, dès qu'ils eurent obtenu une bonne partie de leurs propres demandes. Et pourtant tout au long du conflit, dans leurs discours publics, ils ont utilisé presque exclusivement la cause légitime des sous-payés pour se légitimer eux-mêmes !

Quand deux exploitations s'additionnent

Bureaucratisme, syndicalisme privilégié, idéologie dite unanime, « service public non lucratif » se renforcent ici pour maquiller les vrais jeux d'intérêts qui n'ont rien à envier à la jungle capitaliste. La nouvelle classe « publique » est l'équivalent de la bourgeoisie dite privée. Comme dans les pays de l'Est. Les deux systèmes finissent par se rassembler au même rendez-vous de la nouvelle classe.

Au Québec, le problème est plus cru. D'une part, le secteur privé n'est pas aux mains des autochtones et le secteur public, où nous avons pratiquement tout investi, sert les intérêts d'une nouvelle classe semblable à la dominante du privé. Mesure-t-on les conséquences de ces deux problèmes qui s'additionnent et ajoutent à la situation très difficile du Québec francophone en Amérique ?

La chrétienté d'hier a pu servir de substitut artificiel à notre infériorité socio-économique et à notre situation coloniale. Nous en avons pris conscience durant les années 50. Mais nos réponses, plus ou moins inconsciemment, ont été encore de l'ordre du substitut, par-delà la création nécessaire des infrastructures d'autodéveloppement dans nos réformes récentes. Mais, peu à peu, l'opération a viré en une activité bureaucratique qui s'est substituée aux chantiers proprement économiques et aux débouchés correspondants. L'Etat, répétons-le, est devenu l'Eglise nouvelle. Le tertiaire qui devait être moteur d'autodéveloppement s'est enroulé sur lui-même, s'est nourri abondamment de ce qui devait servir à la création socio-économique et au façonnement de milieux et de citoyens aptes à se prendre en main et à créer leurs propres richesses à partager. Dans cette foulée, un nouveau monde clérical naissait.

Faut-il encore évoquer la sèche comptabilité ? Plus de 50 p. cent du produit national brut québécois relève des dépenses des administrations publiques. Cette situation anormale risque de s'aggraver avec le vieillissement rapide de la population, avec les conséquences en chômage du peu d'investissements directement socio-économiques et d'une taxation de plus en plus élevée, avec les revendications sociales sans limites et sans priorités de la nouvelle classe.

Face à ces culs-de-sac à l'horizon, il faut à tout prix corriger radicalement l'orientation principale des deux dernières décennies. Or, j'ai l'impression qu'une telle démarche est sans cesse repoussée. Elle doit pourtant être présente au grand débat actuel sur notre avenir politique, présente aussi à l'activité quotidienne, aux comportements privés où il se passe d'étranges choses depuis quelque temps.

En effet, il faudrait explorer ici toutes les nouvelles formes d'évitement, de fuite du défi proprement économique, qui par une critique idéologique sans mains, qui par une activité politique toute enfermée dans le parti choisi, qui par une nostalgie folklorique et artisanale, qui par une religiosité ésotérique consolante, qui par le naturisme ou par l'écotopie, ou encore par une des cent thérapies sur le marché, sans compter la participation plus ou moins illusoire par radio et télévision interposées. On discute, on s'engueule, mais on ne fout pas grand-chose.

Ah ! bien sûr, il y a le grand débat constitutionnel, le référendum. Je n'en nie pas l'importance politique et historique. Mais demain matin, nous faisons quoi avec les pouvoirs récupérés ? Un surplus d'activités tertiaires, d'autres embardées au profit de la nouvelle classe. Je crois que nos grands débats actuels et même nos combats survolent les énormes défis internes que je viens de signaler. J'ai présenté la nouvelle classe comme le révélateur par excellence de la « situation intérieure » du Québec actuel.

Ce point de vue critique peut sembler injustement accablant, car il y a effectivement bien des membres de la nouvelle classe, réellement soucieux de service et de compétence. Mais ce fait indéniable ne doit pas cacher le problème que je viens de soulever. On n'ose l'aborder de front, tellement on risque de se faire une légion d'ennemis même autour de soi.

Je n'en demeure pas moins persuadé que cette révision radicale s'impose plus que jamais. Car elle peut nous révéler l'appauvrissement des qualités de base nécessaires à l'autodéveloppement individuel et collectif. Les luttes dites progressistes dans une perspective soit souverainiste, soit socialiste, soit convergente n'iront pas loin sans ces qualités de base.

Or, dans quelle mesure une tertiarisation publique disproportionnée, au profit surtout d'une nouvelle classe « gâtée » où certains parlent maintenant des 20 ou 25 heures par semaine, n'est pas un des principaux obstacles à l'émergence d'une nouvelle dynamique historique chez nous? Les petites nations qui ont percé le doivent avant tout à de courageux efforts individuels et collectifs en excellence et en solidarités constructives. Nous l'admettons en principe. Mais les pratiques... Hélas!... j'ose espérer...

8. Choix et tâches d'avenir

Avant de formuler mes espoirs, je ne puis cacher le fond d'inquiétude qui sous-tend ce diagnostic sur la nouvelle classe. Je le répète, il existe du bon bois vert en elle. Mais globalement, elle n'en demeure pas moins mobilisée avant tout par son confort, son style de vie de plus en plus sophistiqué, dans la foulée de sa rapide ascension sociale au cours des deux dernières décennies. Présentement, la poursuite d'avantages maximaux bien coussinée par une sécurité absolue d'emploi à vie rend dérisoires les différences idéologiques des divers groupes en conflit.

Essayons d'anticiper ce qui arrivera si elle obtient gain de cause. Une fois de plus, les marges étroites de notre potentiel économique réel seront utilisées pour payer les conquêtes des serviteurs du peuple. Compte tenu du fait que le régime de fiscalité ne saurait changer radicalement de par les contraintes du contexte socio-économique nord-américain (à moins d'une révolution imminente qui ne serait sûrement pas décidée par la majorité), le statut privilégié de la nouvelle classe est donc financé par les autres travailleurs. Ceux-ci, massivement dans le secteur privé, doivent par ailleurs jouer serré dans les conjonctures actuelles. Ils savent que les usines se ferment plus facilement que les écoles ou les hôpitaux. Ils savent aussi que les prélèvements fiscaux sur les profits des corporations connaissent vite les limites d'un chantage que les gouvernements ne peuvent ignorer.

Dans un tel contexte, l'idéologie de la « locomotive » publique pourrait bien être une vaste fumisterie. L'agressivité rentrée de bien des travailleurs en témoigne. Ils ont compris depuis longtemps que d'autres se sont servis les premiers en les utilisant, en leur promettant des retombées bénéfiques ; ils ont compris aussi que des investissements créateurs d'emploi dans leur secteur seront encore détournés au profit de la nouvelle classe pour fin de meilleurs services, évidemment ! J'aimerais avoir tort.

Se peut-il que le plus grave problème actuel soit d'abord et avant tout cette cassure de la société à sa base même ?

Certains idéologues veulent nous faire croire que c'est le résultat d'une stratégie gouvernementale à la remorque des forces capitalistes. J'ai bien peur que l'hypothèse formulée plus haut soit aussi vraisemblable. Si oui, c'est l'assise même d'un large consensus populaire qui est compromise. Sans celui-ci, quels choix politiques pourront avoir un poids déterminant dans les prochaines décisions historiques ?

Certains font du référendum le grand test de l'avenir. Certes, il a l'avantage de nous interpeller comme peuple. Toute l'attention est mobilisée en ce sens, au point de nous faire oublier cette cassure de la base autrement plus concrète, plus vécue quotidiennement. C'est illusoire de croire que celle-ci va se refaire automatiquement après un réaménagement des structures politiques. Car déjà une telle cassure influe sur le jugement de la plupart des citoyens ; elle porte une sorte de méfiance interne, doublée d'un réflexe sécuritaire.

La situation actuelle du secteur public, là où nous sommes le plus chez nous, pèse beaucoup plus sur notre avenir que les débats référendaires. Et la nouvelle classe en est le principal révélateur. Ce diagnostic a l'avantage de nous situer dans un pays réel autrement plus vérifiable que les grandes alternatives structurelles qui se disputent la faveur des citoyens. Voilà la réalité brutale que j'ai voulu présenter sans échappatoire.

I— Quatre espoirs

1. *J'ose espérer que nous accepterons enfin de vérifier, avec plus de pertinence et d'honnêteté, nos discours idéologiques pro-*

clamés sur les ondes et dans les institutions d'éducation et sur tant de tréteaux. Dans le quartier le plus select de ma ville résident des professeurs à côté de médecins, des employés de l'Hydro à côté de gérants d'usines, des postiers à côté de marchands, des plombiers à côté d'administrateurs scolaires. On les retrouve sur le même terrain de golf, en vacances à Acapulco. Dans les écoles privées, leurs enfants vivent en coude à coude. Bref, un style de vie identique... Et nous voilà dans un tout autre univers sociopolitique différent des scénarios idéologiques reçus.

Des forces dites progressistes massivement au service des classes moyennes ne sauraient camoufler éternellement leur véritable position sociale et économique, par exemple en projetant une image prolétarienne artificielle par de vagues discours sur les ouvriers non syndiqués, par des pressions verbales sur les gouvernements pour qu'ils rehaussent les allocations aux assistés, le salaire minimum, sans restreindre sa générosité maximale pour les nouveaux promus syndiqués et cadres de la Révolution tranquille.

2. Oui, j'ose espérer d'abord que cette nouvelle classe comprendra qu'elle reçoit cent fois plus de notre société que ce qu'elle lui rend. Il n'est pas farfelu de lui demander d'être plus sobre dans ses revendications. C'est un minimum. Une masse d'assistés et de petits salariés à bout d'inflation et de chômage ne lui pardonnera pas. Elle préférera s'en remettre aux sécurités du *Big Brother* investisseur qui lui promet des emplois et non de meilleures allocations de dépendance sociale.

3. Oui, j'ose espérer que nous saurons accompagner nos prochains choix politiques de pratiques quotidiennes plus conséquentes en matière de responsabilité solidaire, d'initiative féconde, de courage « réalisateur », de morale personnelle et collective plus exigeante, de processus démocratiques plus créateurs. Nous connaîtrons encore longtemps des luttes internes et externes rudes et peut-être de plus en plus radicales. Mais, en même temps, il nous faudra une stratégie des talents qui dépasse ces processus actuels de neutralisation des efforts tentés par les uns et dénigrés ou bloqués par les autres. Pouvons-nous, surtout dans les circonstances présentes, discuter indéfiniment des for-

mes possibles d'entrepreneurship, de chantiers, alors que nous devrions promouvoir les dynamismes créateurs partout où ils se trouvent? Nous cultivons encore un certain mépris parfois peu déguisé pour la chose économique et même pour la technologie. L'histoire des raisins verts? Un énorme coup de barre est à donner pour risquer davantage économiquement, quitte à ce qu'on continue de débattre les orientations idéologiques qui sous-tendent les initiatives privées, mixtes ou publiques.

4. J'ose espérer que nous maintiendrons une société ouverte où il faut accepter l'insécurité du meilleur et du pire, du bon et du moins bon, où il y a place pour une liberté qui investigue et expérimente divers possibles, où traditionalistes, pragmatiques, utopistes et révolutionnaires peuvent instaurer un processus démocratique très riche en continuité, en créativité, en rupture et en dépassement, où les secteurs privés et les secteurs publics vivent une émulation féconde, où un brassage culturel ouvert à l'étranger, à l'immigrant enrichit l'expérience collective, où des identités fortes et diverses s'accompagnent d'authentiques solidarités soucieuses de la meilleure justice possible.

Je sais que c'est l'option la plus difficile. Elle porte plus d'angoisse que la société unidimensionnelle, monoculturelle, monopolitique. Elle exige plus de maturité démocratique et de risque historique. Elle ne coïncide pas avec certaines conceptions rigides du fédéralisme actuel, de l'indépendance pure, d'un socialisme dogmatique, d'un néo-capitalisme libertarien. Ces exclusives nient la complexité du réel, la riche diversité de l'aventure humaine, les inévitables luttes, compromis et consensus provisoires au plan politique et sociétaire. De telles exclusives nous ramènent sans cesse à l'une ou l'autre forme d'oligarchie, de droite ou de gauche, d'idéologie capitaliste dominante, de pouvoir communiste à demeure, de pseudo-dictature de prolétariat, de régime de colonels, ou même de copie conforme imposée par le même centre commercial à Tokyo, à Paris, à Montréal, à Los Angeles, à Dakar et à Rio. L'affirmation culturelle et politique de notre communauté francophone québécoise peut contester ce modèle dominant. Elle ne sera pas la seule dans le monde. Mais il faut lever des obstacles internes trop peu reconnus et développer d'autres atouts.

Certains disent que nos sociétés occidentales n'ont pas encore expérimenté un vrai capitalisme (les libertariens aux Etats-Unis), d'autres, un vrai socialisme (Poulantzas). J'ai plutôt la conviction que les intuitions démocratiques et surtout les pratiques ne sont qu'à leurs premiers essais historiques. Cette pratique invite à lutter contre toute forme de monopole d'avoir, de savoir ou de pouvoir, contre tout monopole de classe, de parti, d'Etat, de corporation, de syndicat, comme de religion, de race ou de sexe.

II — Des choix difficiles

Bien sûr, en chacun des contextes historiques et culturels, en chacune des sociétés, en chacune des alliances plus larges ou encore en chacune des situations planétaires, il faut faire des choix, puisqu'on ne peut tout réaliser en même temps.

Oh ! Je sais la question immédiate, douloureuse, dramatique : *au profit de qui ?* Allons-nous demander un surcroît de sacrifices à ceux qu'on appelle vulgairement les déchets d'un progrès aveugle ?

Les tout derniers avertissements du Club de Rome sur l'écologie et l'économie mondiales nous laissent peu de temps. Des décisions historiques, politiques sont à prendre immédiatement. La jugulation des grands pouvoirs transnationaux suffit-elle ? Faut-il viser surtout une nouvelle concertation des Etats non plus au profit de l'axe riche de l'Ouest capitaliste et de l'Est communiste mais dans une révision radicale du rapport Nord-Sud ? Ou plutôt une conscience vive d'un tournant encore plus décisif où il ne s'agit plus du choix entre une orientation soit capitaliste, soit communiste, soit mixte, mais de l'avenir tout court, dans une sorte de solidarité planétaire obligée qui pourrait éviter la faillite de tout le monde, gros ou petits, des quatre points cardinaux.

En chacun des coins de la terre, cette dramatique contemporaine retentit. Par-delà certains choix particuliers des divers ensembles humains se pose la question de l'avenir tout court et de la façon d'y faire face autour de certains enjeux concrets, plus immédiats. Nous sommes d'une petite communauté nationale qui expérimente ce scénario de l'avenir que je viens d'évoquer. Est-ce artificiel de voir les choses ainsi ?

Par exemple, notre petite communauté francophone en Amérique du Nord peut-elle continuer dans le cadre politique et économique actuel sans sacrifier un avenir qui lui soit propre, mais sans exclusive ? Par exemple, dans le contexte d'une inflation galopante et d'un chômage endémique ne faut-il pas envisager une révision radicale de l'orientation trop exclusivement tertiaire depuis la Révolution tranquille ? Par exemple, n'est-il pas temps de mieux situer les rôles de l'Etat et surtout certaines attitudes communes aux divers groupes idéologiques qui lui demandent tout et en même temps rejettent son omniprésence, contraignante pour les libéraux, et répressive pour les socialisants ?

Dans le tournant actuel, la nouvelle classe québécoise acceptera-t-elle de s'imposer des restrictions financières, un surcroît de travail pour dégager la possibilité de chantiers économiques viables, créateurs d'emplois justement rémunérés, multiplicateurs de richesses collectives, instaurateurs d'une économie plus humaine, plus juste, un peu semblable à celle que la communauté humaine planétaire devrait se donner ?

III — Une nouvelle ère politique

Je pose ces dernières questions avec mauvaise conscience. Ma participation annuelle à une équipe internationale intéressée aux difficiles expériences de libération et d'autodéveloppement m'amène parfois à considérer nos débats d'ici comme des jérémiades d'enfants gâtés. Après tout, le Québec n'est pas si mal loti. Et pourtant, je me dis qu'il y a bien des rapports entre ce qui se passe dans ma société et ce qui se trame sur l'échiquier mondial. Par exemple, notre façon d'aborder le problème brûlant de la pauvreté sur notre propre terrain. Par exemple, le rôle et le statut d'une nouvelle classe qui est apparue, sous des visages divers mais avec une logique semblable, dans la plupart des pays du monde.

Et de là naît une série d'autres questions et de défis trop ignorés ou inavoués. Telle la contradiction grandissante entre les divers discours idéologiques des différents leaderships, d'une part, et d'autre part les comportements concrets, les pratiques déterminantes. On ne saurait trop insister sur cet écart grandissant rarement relié aux autres écarts de notre structure actuelle de classes. J'ai montré comment cette structure réelle ne correspondait pas à celles des idéologues de la gauche ou de la droite. On s'en rend compte dès qu'il est question de l'espèce sonnante et trébuchante, et cela jusqu'au coeur d'un syndicalisme, lui aussi, aux mains de la nouvelle classe.

Par-delà ces preuves concrètes à donner, agissons-nous effectivement en fonction d'une société ouverte, d'un peuple solidaire et entreprenant, d'une individualité aussi responsable que libre, d'une politique capable de surmonter ces divers monopoles précités, surtout celui d'une classe dominante et d'une autre aussi privilégiée qui se disputent un pouvoir « unique » au-dessus d'une masse passive et impuissante ? Comment nier le fait d'une structure et d'une lutte de classes ? Mais se limiter à cette logique politique, c'est encore rester sur les rails de la loi du plus fort, qu'elle soit capitaliste ou communiste; c'est prêter flanc à l'imposition de *la* solution pure, unique, érigée en Vérité irréfutable ; c'est aussi donner raison à un certain gauchisme irresponsable qui pratique le *quanto peggio tanto meglio* (plus ça va mal, plus nos chances de prendre le pouvoir grandissent).

Je comprends que des jeunes gauchistes sans une expérience minimale de travail et de pratique démocratique s'enfoncent dans cette ornière. Mais que de tels comportements se trouvent chez une certaine militance radicale de la nouvelle classe, cela devrait nous inquiéter davantage : appétit plus déguisé de pouvoir autocratique ; légitimation habile de revendications sans limites dans des institutions publiques déjà grevées de charges financières ; grippage bien dosé et progressif des appareils sociaux et de leurs principaux rouages. Dans une petite société coincée comme la nôtre, il y a là quelque chose de suicidaire. Ne l'oublions pas, l'histoire a moult exemples d'autodestruction, rarement provoquée par le peuple lui-même.

Quand, par-dessus le marché, des membres et des groupes de cette nouvelle classe se présentent comme « citoyens au-dessus de tout soupçon », quand ils nient systématiquement toute erreur, tout geste concret d'abus de la propriété collective, de sabotage d'outils coûteux, ils préfigurent l'image de ce qu'ils feraient au sommet du pouvoir. Il faut reconnaître l'autocratisme à son départ, surtout ces « combinazione » qui préparent les nouvelles moeurs politiques advenant la prise du pouvoir par un parti de ce gabarit. Nous n'en sommes pas là, heureusement. Par ailleurs, il ne faut pas y voir seulement des signes, des clignotants, mais de réelles pratiques déjà désastreuses dans un peuple confronté à un avenir très difficile.

Combien de travailleurs québécois sont intéressés à provoquer systématiquement l'impuissance de leur gouvernement, à partager la visée crypto-totalitaire de stratèges qui prétendent porter la seule solution, et qui se promeuvent par une logique et une pratique du pouvoir unique dans l'intérêt évidemment de tous les travailleurs ?

Dans une perspective historique proprement socialiste, comment ignorer tant de situations et de phénomènes qu'on n'avait pas prévus ? Faut-il rappeler la prédiction de la chute du capitalisme qui devait se produire en 1848, selon les estimations du jeune Marx, à la fin du siècle selon Engels, avec la révolution russe selon Lénine ? Comment ignorer le fait brutal de *tous* ces régimes incapables d'instaurer une démocratie ? Les sociétés libérales n'ont pas pour cela réglé leurs problèmes de fond.

« Ni en Occident ni à l'Est, ni dans la théorie scientifique ni dans la praxis politique n'a été élaboré un autre système économique et social capable d'éliminer les maux les plus profonds de notre civilisation, sans engendrer d'autres maux, encore pires » (H. Kung). C'est là un constat, mais non une raison pour refuser des chemins nouveaux et plus justes.

Déficits contemporains, contexte historique inédit, urgences planétaires, redéfinition de toutes les sociétés, façonnement d'un nouvel âge politique, autant de cibles en face desquelles il faut d'abord admettre notre profonde perplexité et l'absence de *« best and unique way »*. Cela vaut aussi dans nos débats actuels chez nous.

Qui, dans les circonstances, individu ou groupe idéologique et politique, peut parler, agir, s'imposer comme s'il avait trouvé le régime politique capable d'embrasser toute la complexité qui a été évoquée jusqu'ici, hélas ! sommairement ? J'ai surtout la conviction qu'une telle prétention a été l'utopie la plus pernicieuse qui a valu à l'humanité toutes les formes connues de totalitarisme moderne, de luttes sectaires si semblables aux guerres politico-religieuses d'hier.

L'émergence d'une nouvelle classe, chez nous et ailleurs, est un biais révélateur, parmi d'autres, du caractère faux et artificiel des idéologies « pures » qui s'affrontent actuellement sur l'échiquier socio-politique. Ce fait sociologique nous renvoie à une réalité beaucoup plus complexe, à la perception d'un nouveau contexte historique, au malaise profond d'une humanité pan-bureaucratisée, à une révision radicale de la grille marxiste, du subterfuge néo-capitaliste et des utopies monocordes qui jouent tel ou tel messianisme politique.

Nous vivons un tournant important et complexe qui a ses particularités historiques chez nous. Il faut surtout craindre les promoteurs de solution globale chimiquement pure. Tous, nous sommes acculés à une humilité radicale pour un examen plus rigoureux d'une situation compliquée à souhait, pour une confrontation démocratique des divers possibles et des différentes options. On ne scelle pas un destin dans un référendum, tout nécessaire soit-il. Car on sait bien que les problèmes, les défis, les nombreux choix qui le sous-tendent, les luttes de fond demeureront au lendemain. Si celles-ci, aujourd'hui, se nourrissent de rhétoriques idéologiques dont les porteurs ne veulent pas payer concrètement les conséquences en argent, en travail, en sacrifices difficiles, c'en est déjà fait d'un avenir susceptible de changer profondément les choses.

Pour le moment, chez nous, ne serait-il pas plus sage d'encourager, de promouvoir les dynamismes qualitatifs et construc-

teurs partout où ils se trouvent, en nous rapprochant le plus possible de la justice? Nous ne pouvons plus poursuivre ce jeu de neutralisation mutuelle qui épuise nos forces et rend nos institutions de plus en plus inefficaces. Pourtant, nous le savons, aucune solution d'avenir ne sera facile; aucune ne se réalisera sans une forte discipline collective, sans une certaine austérité, sans de profondes motivations d'excellence, sans des engagements personnels plus durables.

J'ose espérer que notre double défi de construire une économie et un pays forts, solidaires et ouverts, nous convaincra des comportements conséquents qu'il faut adopter dès aujourd'hui.

DEUXIÈME PARTIE

LES RÉVÉLATEURS DU TOURNANT ACTUEL

INTRODUCTION

Obstacles et dynamismes internes

Pour ne pas alourdir notre démarche nous entrons de plain-pied dans cette seconde partie, en rappelant au lecteur qu'il gagnerait à relire l'introduction de la première partie qui trace une figure d'ensemble de notre cheminement critique. L'intention ici est surtout pédagogique, à savoir le retour sur l'hypothèse de base à chacune des étapes de l'ouvrage, et surtout l'occasion, pour le lecteur, de sortir de la linéarité du diagnostic et de dégager son propre espace de réflexion critique. Quelles questions surgissent de cette première étape ? Que pense-t-il des aspects retenus pour élargir, approfondir ou corriger ce que l'étude de la nouvelle classe a révélé de l'évolution interne de notre société québécoise ? Quelles interrogations porte-t-il face à ce heurt du courant libertaire et du contre-courant sécuritaire sur le vieux fond toujours vivant de l'expérience encore proche de la chrétienté ? Face aussi à cet autre heurt entre les requêtes d'un autodéveloppement audacieux, exigeant et les travers conjugés d'une tertiarisation artificielle, d'un régime de travail toujours plus débilitant et inefficace, enfin d'une psychologie de classes moyennes enfermée dans la copie conforme ? Dans ce contexte difficile, sur quels dynamismes de dépassement pouvons-nous miser ? Voilà le temps de réflexion que je suggère avant d'entrer dans cette nouvelle étape.

I — Les aspects culturels

1. La tentation sécuritaire

Tête sur le ventre

Il n'est pas facile de comprendre ce qui nous arrive ici et ailleurs en Occident... dans les sociétés dites libérales. Tel ce chassé-croisé d'attitudes tantôt libertaires, tantôt sécuritaires chez des individus de tendance idéologiques différentes. Les catégories politiques classiques : droite, gauche et centre deviennent de plus en plus abstraites malgré les apparences de polarisation plus claires. On a vu s'affirmer récemment un néo-capitalisme libertaire face à un progressisme étrangement sécuritaire. Deux expressions extrêmes d'une contradiction, sinon d'une tension que vivent bien des citoyens. Moins de taxes et plus de services ! Sécurité d'emploi et travail libre.

Combien se rendent compte qu'une longue liste de droits livrés à une législation omniprésente s'accompagne d'une prise en charge de tous les besoins et des principales responsabilités par l'Etat ? Comment éviter alors un dirigisme autocratique, une planification totale, un cadre techno-bureaucratique contraignant ? Comment concilier cette visée de sécurité maximale avec la liberté maximale recherchée par les uns et par les autres ? Quelle place accorde-t-on au risque personnel, à la création commune, à la démocratie locale ?

Il faut bien le dire, tout se passe comme si ces contradictions atteignaient une limite critique, source d'une énorme confusion politique, institutionnelle et personnelle. Voyez l'objectif du

« s'éduquant » dans un contexte scolaire où le moindre problème d'un enfant est confié à un spécialiste, à un service, à une filière. *L'idéologie est au progressisme, mais la pratique et le comportement sont au sécurisme.* Cette remarque vaut dans bien des domaines.

Pourtant, dans nos propres aventures humaines, nous savons que la recherche obsédée de la sécurité est peu compatible avec l'élan d'une liberté qui s'alimente à des paris, à des choix, à des décisions plus ou moins audacieuses. Par ailleurs, nous savons aussi que la liberté sans balise, sans structure de base, sans lit, sans finalité crée chez bien des gens une sorte d'angoisse indéfinissable.

Regardons autour de nous; certaines libertés narcissiques, tête sur le ventre, deviennent vite aussi stériles que malheureuses, avant de déboucher sur d'étranges replis, au sécurisme le plus primaire. Tel le retour à la mère nature, au clan protecteur. On se noie dans le cosmos. On quitte sa société, sa culture, son histoire en tempête pour quérir une réponse globale, pacifiante, unitaire, qui dans le zen ou l'hindouisme, qui dans l'animisme primitif d'une bio-énergie sans identité humaine propre, qui dans la gnose de Princeton où la science, le cosmos, le mythe et l'âme constituent un tout sécurisant, qui dans la thérapie dernier cri capable de tout expliquer et de tout arranger, qui, enfin, dans un nouveau providentialisme où vous êtes pris en charge corps et âme, vie et conscience.

Du sel au sucre

Qui l'aurait cru ? Après les révolutions scientifiques, technologiques, politiques et culturelles, toutes chargées de la responsabilité libre et créatrice de l'homme debout, voilà tant d'humains qui se livrent à l'Etat, à la nature, au guru, au slogan publicitaire, à la sécurité d'emploi absolue. Même un certain féminisme prometteur, libérateur, politique tourne au beurre d'érable... entre nous, par nous, pour nous, avec nous... narcissique, apolitique, cosmique. Phénomène étrange qu'on retrouve en combien d'autres secteurs, dans des groupes mystiques, et même dans certains milieux de travail qui cherchent l'intimité et la sécurité chaudes du clan primitif. Le week-end, des milliers de groupes vivent des *trips* effervescents, sécurisants. Sorte de laboratoires socio-affectifs en marge d'un train-train quotidien à la fois insipide et angoissant. La manie des colloques et des congrès est peut-être du même ordre.

Est-ce là fuite du réel, de la vie courante, de la société trop compliquée, de la responsabilité quotidienne et politique? Est-ce là un détour bénéfique pour sortir d'une pâte aplatie, pour réinventer un levain qui soulèvera à nouveau la vie? Mille autres questions surgissent. J'en ai retenu une première: la *tentation sécuritaire*. Peut-être la *version occidentale de la tentation totalitaire qui s'exprime ailleurs. Aussi antipersonnelles et antipolitiques l'une que l'autre.*

Les classes sociales, les partis, les groupes et les individus les plus divers se retrouvent à ce même rendez-vous. Quel discours en fait état? Ni les politiciens, ni les syndicalistes, ni les scientifiques, ni les hommes de la rue n'osent l'avouer. La prospérité audacieuse d'hier se mue en sécurité obsessionnelle. *A no-risk ethic. No fault,* en tout. On parle de liberté, mais c'est de sécurité qu'il s'agit en fait. Dans une bouche dite de gauche, ce mélange de sel et de sucre a un goût étrange... peu digestible. Oui, la gauche occidentale est piégée avec ses revendications sécuritaires qui contredisent si souvent la perspective d'une libération et d'une création collectives. Banques et multinationales gardent l'initiative, construisent et produisent, alors que les sécuritaires se replient sur les droits à la consommation, à la sécurité, à la santé, au job assuré. Les propos progressistes sur la «société nouvelle» deviennent de plus en plus vagues, pendant que les gauchistes discutent des textes de Marx, de Poulantzas, d'Althusser. Ici, l'orthodoxie dogmatique, là-haut, au Parlement, la sécurité nationale, là-bas dans la Centrale syndicale un autre dossier sur un nouveau droit à la sécurité.

Comme en Californie

Et qui sait, tout à l'heure, comme en Californie, les « propriétaires » voudront tarir à la source une politique de locataires.

Nous serons devant une situation inattendue, tragi-comique, où s'affrontent les sécuritaires de gauche et les sécuritaires de droite. D'un côté comme de l'autre, on défendra son point de vue au nom de la liberté, de la démocratie. Le fait que des groupes aussi différents aient le même discours devrait nous inciter à voir si tout le monde n'a pas la même politique. Eh oui, hélas ! Mais ce qu'il y a de plus loufoque ou humiliant, c'est que cette liberté unanime se confond avec son opposé : la revendication sécuritaire aussi unanime... mais cachée sous des masques nobles: conflits de droits, de libertés, d'intérêts.

Après trente ans de prospérité, on veut protéger l'acquis. Le droit acquis comme l'épargne à la banque... et le train de vie. Peu importe si certains droits acquis, dans un nouveau contexte de stagflation, de chèreté, de rareté demeurent parfois des privilèges exorbitants. Il suffit de comparer les conventions collectives des secteurs publics et la situation des petits salariés.

Que le ministère de l'Education tente de freiner les coûts, on l'accuse de contre-réforme. Sécurité en tout, construction luxueuse, multiplication de services, gaspillage de toute sorte et confort maximum font bon ménage. Toute austérité apparaît régressive, même si c'est en vue d'une dynamique à long terme. « Que l'Etat investisse », disent en choeur la CSN et la CEQ. Etat-levier. Etat-rouage de notre exploitation. On sait tirer la ficelle dans un sens ou dans l'autre.

Des sécurités de luxe

L'unité idéologique de gauche permet de survoler tous ces problèmes. Elle est aussi mystificatrice que l'idéologie capitaliste du profit générateur de la prospérité pour tous. Elle permet d'utiliser le syndicalisme noble de la justice pour aller chercher le maximum à l'avantage de son groupe... et de soi-même. Oh ! bien sûr, on proclamera l'objectif de réduire l'écart des salaires. Mais, en même temps, les syndicats les plus forts réussissent à obtenir de nouveaux avantages non salariaux très coûteux, très payants. Les bureaucrates des centrales de gauche viennent d'inventer de belles entourloupettes, telle la prime d'enrichissement collectif que les syndicats publics seront les seuls à obtenir. Peu importe si cette escalade laisse loin derrière les petits salariés, les chômeurs des usines fermées. « Ça, c'est une responsabilité de l'Etat. » J'ai déjà entendu pareil langage dans la bouche de bons capitalistes !

Il y a, là-dessous, des *sécurités de luxe* qui déclassent les petits et bloquent tout développement économique créateur, fût-ce dans la ligne socialiste la plus pure. Sans cesse l'innovation collective proprement économique est remise à plus tard, non seulement à cause de ces sécurités de luxe, mais aussi, et plus encore, à cause de la mentalité sécuritaire qu'elles sous-tendent. Chez la plupart, il n'est pas question d'engager son portefeuille dans une entreprise autochtone. On est pour la coopération qui laisse intacte, en toute sécurité et avec un certain profit, l'épargne placée à la caisse populaire. Que le mouvement Desjardins investisse dans l'industrie, mais qu'il n'ait pas le malheur de se tromper une seule fois, de nous faire perdre quelques piastres.

Un Québec indépendant dans un Canada fort !

Au fond, notre vieux sécurisme n'a peut-être pas beaucoup évolué. Mais quand il se camoufle sous un masque progressiste, il devient mystificateur au cube. Des idéologues de gauche confondent alors le maximum sécuritaire et consommatoire de leur corporation syndicale avec le progressisme d'audacieux investissements publics (à leur service). Malheur aux réactionnaires qui se demandent si on peut tout faire en même temps, nationaliser le sol et le sous-sol, créer de nouvelles entreprises, assurer le congé de paternité à tous les fonctionnaires, engager deux professeurs là où les Etats les plus riches en embauchent un seul et se payer les services hospitaliers les plus coûteux du monde. Dans les faits, c'est le progressisme sécuritaire qui l'emporte sur le progressisme vraiment créateur, socialement et économiquement. Le rapport interuniversitaire « Prospective socio-économique du Québec » a bien montré cette double faiblesse : « En définitive, peu d'innovations sociales (aussi bien qu'économiques) se sont affirmées... surtout dans le champ du travail et des communautés de travail », disait un de ses porte-parole.

Quand la sécurité se déguise en progrès

La tendance sécuritaire d'aujourd'hui n'est pas la copie conforme de celle d'hier, même si elle y emprunte. Elle se drape de liberté, de droit, de progrès. Elle se croit riche. Elle roule carrosse à crédit. Elle marie paradoxalement un sécurisme plus poussé que celui des pères et un monde d'aspirations sans calcul. Etrange mixture d'épargne confiée aux autres et de gaspillage ostentatoire, de liberté pour soi et de responsabilité dévolue au gouvernement, de dépendances quotidiennes et d'indépendance idéologique, d'égalité publique et de privilèges privés.

D'aucuns y voient un mécanisme bien connu: des libertés folles se rassurent dans des sécurités aussi folles. On veut asseoir les aspirations explosées de la Révolution tranquille sur un vieux fond historique sécuritaire.

D'autres vont plus loin en diagnostiquant ici un symptôme politique majeur, à savoir l'absence d'une société francophone normale, autonome, complète jusque dans de solides assises économiques. Nos contradictions seraient l'expression d'une situation coloniale renforcée par l'omniprésence du plus grand colosse de l'histoire. On ne s'amuse pas avec un lion. C'est très insécurisant.

Les plus pessimistes parlent d'un Québec impossible, quels que soient les aménagements. Défi insurmontable intériorisé par la plupart, peu importe la diversité des discours et options politiques. Bref, il y aurait trop d'insécurités qui bloqueraient le risque collectif d'une politique audacieuse et d'une économie autochtone dynamique. Autant vivre de l'économie de l'autre et habiter le « territoire imaginaire de la culture ». Bien sûr, la culture devient un territoire imaginaire quand on ne croit plus à la possibilité de boulanger son propre pain, de vivre de plain-pied avec l'autre, de rivaliser (démocratiquement) en excellence. C'est alors que la recherche de sécurité maximale se déguise en liberté, en progrès, en justice et en droit.

La corvée ne suffit pas

Démystifier et dépasser une tendance sécuritaire aussi enfoncée dans notre fibre, jusque dans ses retranchements les plus inavoués est une tâche à peine amorcée chez nous. Tâche dure et difficile qui n'apportera pas d'elle-même un nouveau dynamisme, mais qui empêchera nos entreprises collectives de retomber vite à plat dans l'ornière sécuritaire, comme ce fut hélas ! trop souvent le cas dans nos réformes récentes. Nous sommes capables de belles et chaudes corvées, de grèves solidaires. Il faut plus que cela pour construire un pays.

Quand une volonté de libération se met au service d'une sécurité maximale pour elle-même, quand une idéologie de l'égalité joue exclusivement la carte du plus fort, la gauche devient une crypto-droite, un peu comme ces révolutionnaires qui deviennent conservateurs totalitaires, après avoir pris le pouvoir. Machiavel aura-t-il toujours raison ? J'ose espérer que non !

Un obstacle redoutable

Cette volonté de dépassement a besoin de mieux comprendre l'ampleur et la profondeur de la tentation sécuritaire dans la dramatique contemporaine qui nous influence de toute part, par-delà nos insécurités locales ou nationales. Pensons aux énormes défis planétaires qui s'accompagnent d'une certaine angoisse, à la crainte chez les pays riches de perdre les acquis d'une prospérité inédite, au choc d'un brassage culturel sans précédent qui heurte la « pratique villageoise », la mentalité « paroissiale », le régionalisme de la majorité des hommes même dans les grandes villes. Il faudrait signaler aussi l'univers éclaté de mille et une théories, de mille et un choix, de mille et un stimuli qui sollicitent quotidiennement le psychisme de l'urbain. Sans compter le phénomène quantitatif et cumulatif des connaissances, des informations à absorber (il n'est pas étranger à la crise de l'éducation). Phénomène aussi de la vitesse débridée sur tous terrains : absence de rythmes de vie, course contre la montre, multiplication accélérée des communications, circulation inflationniste de l'argent, etc.

On a ajusté les rythmes humains aux rythmes technologiques. Est-ce sage ?

La tentation sécuritaire tient donc aussi d'une réaction compréhensible. Elle n'en demeure pas moins sujette à une critique lucide, parce qu'elle peut briser des élans précieux de renouvellement plus judicieux et plus fécond. Il faut bien évaluer l'ampleur du phénomène.

Un effet cumulatif impressionnant

— La plupart des grandes conférences internationales autour du thème de la sécurité.

— L'idée de « sécurité nationale » qui s'impose non seulement dans les régimes totalitaires de droite ou de gauche, mais aussi dans les régimes démocratiques et libéraux. Le vent est à droite, en Occident particulièrement.

— La bureaucratisation croissante n'est pas étrangère au besoin sécuritaire d'être protégé, assumé par ce qui apparaît chez les citoyens comme l'institution la plus forte, à savoir l'Etat.

— Une nouvelle culture de classe moyenne de plus en plus massivement engagée, payée, promue, prise en charge par un secteur public (tertiaire hypertrophié). Une culture, un style social, une orientation politique, une philosophie personnelle qui cultivent des comportements sécuritaires peu propices à une dynamique soutenue et renouvelée d'autodéveloppement personnel et collectif. Qu'en est-il de la dynamique historique d'une Amérique bâtie avec une psychologie d'immigrants prêts à risquer, à trimer dur dans une société ouverte et mobile *(from rags to riches)*? Dans quelle mesure les Québécois francophones ont mis à profit cet apport ? Nous avons très peu clarifié notre propre situation « nord-américaine ».

— On se replie sur soi, sur son projet individuel, sur sa vie privée, sur son groupe d'appartenance, tout en exigeant la sécurité maximale des politiques sociales. Au Québec, comme nous l'avons vu, la Révolution tranquille a surtout créé cette nouvelle classe qui semble être progressive dans son langage, soit libéral, soit socialiste, soit nationaliste, soit fédéraliste, alors qu'elle est massivement sécuritaire dans ses pratiques et son style de vie. Sommes-nous les seuls à vivre pareille situation schizoïde qui a d'énormes conséquences éthiques et politiques ?

— Autre phénomène sécuritaire que l'attrait de l'un ou l'autre système global d'explication. Marxisme naïf, gnoses religieuses, analyse transactionnelle, écologie, nouvelle grille (Laborit), une forme ou l'autre de structuralisme, etc. Ce néo-scientisme déterministe, tantôt primaire, tantôt sophistiqué cache mal l'angoisse de la liberté, le désarroi d'une confusion mentale, sociale et morale. Ce peut être aussi la transposition de l'encadrement techno-bureaucratique et de la rationalité unilatérale dans la conscience, la philosophie de la vie et la politique.

— Certaines expériences communautaires: communes, sectes, groupes d'initiés, expériences « fusionnelles » sont souvent des régressions sécuritaires.

Trois appauvrissements, trois tâches

Voilà donc un monde occidental fier de sa dynamique de liberté et d'innovation, de risque et de changement, d'ouverture et de pluralisme, qui vire au sécurisme. Je trouve étrange qu'on s'en rende si peu compte. Voyez ces plaidoyers sur la tentation totalitaire dans nos sociétés libérales. Il faudrait plutôt parler de tentation sécuritaire. Décidément les scénarios d'analyse idéologique et politique sont de plus en plus décevants pour discerner les jeux souterrains souvent décisifs des consciences individuelles et collectives, des comportements privés et publics, des orientations institutionnelles et sociétaires. Que seront alors ces quêtes actuelles d'enracinement sans une intelligence plus pertinente d'un sol et d'un sous-sol déjà si mal connus ?

Ce qui me frappe le plus ici, c'est un triple appauvrissement : la conscience historique, l'intelligence culturelle et la philosophie critique. Trois démarches prioritaires pour établir une politique et une éthique capables de rejoindre certains niveaux de profondeur si peu explorés de la dramatique contemporaine et de ses modalités propres au Québec. Inutile de dire qu'un certain pragmatisme nord-américain efficace en matière de choses devient vite un désert en matière d'humanité. D'où l'importance des trois démarches précitées pour surmonter une aussi grave hypothèque au départ. Je me suis expliqué là-dessus dans des ouvrages récents (*Une philosophie de la vie; Une société en quête d'éthique; Quel homme? Quelle société?*). Je me limite à développer ici une hypothèse historique et culturelle qui peut aider à comprendre ce courant sécuritaire profond qui s'emmêle à un autre, apparemment contraire, le courant libertaire.

Une hypothèse de base

Ce qui se passe ailleurs peut nous éclairer sur ce qui nous arrive dans notre propre société. Par exemple, l'histoire contemporaine d'Israël révèle, d'une façon plus crue et plus visible, le heurt entre la culture unitaire d'une longue expérience historique et la culture pluraliste d'une société démocratique. Ce choc s'exprime dans les tensions entre les Juifs occidentaux et les Juifs orientaux. Mais face au monde arabe qui se présente lui aussi comme une totalité historique, Israël oppose la sienne. Il y a donc ici deux ensembles organiques, historiques, religieux, culturels, politiques qui s'excluent. Le combat se situe au niveau culturel de base. Comment alors imaginer un Etat juif ou un Etat arabe, pluraliste et démocratique? Ce que prétendent défendre et promouvoir tant les Israéliens que les Palestiniens de l'Organisation de libération de la Palestine (OLP). Même ambiguïté quand les uns et les autres parlent d'Etat *laïc*. On n'est pas juif ou arabe comme on est français ou américain. C'est une appartenance totale. Le pluralisme culturel, idéologique et politique s'y porte mal. (Je sais qu'il faudrait apporter ici bien des nuances.)

Les pays occidentaux connaissent la dramatique inverse. Ils n'ont plus de culture organique de base. Tout se passe comme si l'expérience historique de nos sociétés était mise en veilleuse. La crise d'identité y doit beaucoup; vus à ce niveau de profondeur, certains phénomènes sociaux et politiques comportent des aspects bien mal élucidés. Par exemple, la remontée des affirmations ethniques et nationalistes, des expériences religieuses historiques. Bien des citadins cherchent à retrouver une certaine totalité organique dans la culture première, dans leur héritage historique de base.

En un certain sens, notre défi est à l'inverse de celui du Moyen-Orient. Notre style de société valorise d'abord le multiculturalisme, le pluralisme idéologique et politique. Nos cités cosmopolites en témoignent. Mais en même temps, combien de citadins ont le sentiment de vivre une expérience éclatée, segmentarisée ? Trop d'appartenances étrangères l'une à l'autre. Trop de références idéologiques ou culturelles à la fois. Ils ne trouvent nulle part un terrain organique où se nouent des rapports unifiés et vitaux entre le vécu et le politique, entre une certaine identité culturelle et les scénarios idéologiques.

C'est se consoler à bon compte que de capitaliser les avantages du cosmopolitisme urbain. Eh oui ! vous avez accès aux restaurants chinois, marocains, thaïlandais ou roumains. Vous êtes à l'heure du monde devant votre écran de télévision. Vous pénétrez symboliquement dans d'autres univers culturels grâce aux films étrangers projetés dans les cinémas du centre-ville. Les boutiquiers élargissent votre besoin de produits nouveaux à l'échelle du commerce international.

Et pourtant, malgré ces voies royales de l'universalité, vous vous sentez à la fois étranger au monde contemporain, à votre propre société. Vous n'avez plus d'identité saisissable. Votre appartenance culturelle apparaît tout à coup incertaine. Trop d'enquêtes récentes ont révélé pareille perplexité pour croire que cet esprit cosmopolite superficiel permet de vraiment se situer dans une société pluraliste et, dans le monde actuel, de connaître un enracinement minimal.

Par réaction, on va donc se réinvestir dans la redéfinition de son identité particulière. On découpera son territoire jusqu'à l'exclusive. On le ramènera à des frontières défendables, et souvent fermées. On se fera extrêmement sélectif. L'esprit de chapelle idéologique, politique, culturel ou religieux s'est accentué récemment. On vit dans des groupes de plus en plus restreints. On réduit son empan idéologique. Ce qui n'empêche pas de tenir des discours globalisants, alors que les pratiques se rétrécissent. Les enjeux planétaires cèdent le pas aux conflits des particularismes.

Or, ces particularismes sont trop étroits pour fonder une économie culturelle première, une certaine organicité sociale, une politique pertinente, une philosophie personnelle de vie. Ils sont davantage incapables d'accéder à une culture seconde, ouverte, pluraliste, démocratique.

Si, là-bas, au Moyen-Orient, on a peine à dépasser des totalités historiques fermées les unes aux autres, ici, en Occident, on n'arrive pas à sortir des particularismes et des pluralismes artificiels.

Nous ne maîtrisons pas plus la culture première que la culture seconde telle que nous venons de les décrire. Et cela a d'énormes conséquences éthiques et politiques. Cette séparation conflictuelle des deux registres historico-culturels recoupe le paradoxe de nos comportements à la fois sécuritaires et libertaires.

On pourrait se demander s'il n'y a pas là des dimensions complémentaires qu'un esprit trop cartésien et manichéen oppose artificiellement. Par exemple, la culture première avec ses enracinements historiques, ses structures et ses rites de base apporte stabilité et continuité. Le réflexe sécuritaire ne serait ici qu'une cote d'alerte pour protéger et renforcer ce fondement organique. Alors que la tendance libertaire, tout en soulignant le danger d'une totalité culturelle et historique fermée, affirme l'importance d'une culture seconde, ouverte, critique, pluraliste, exploratoire, créatrice.

Or, historiquement et culturellement, chez nous et ailleurs, les choses ne se passent pas ainsi. Ce jeu dialectique est plus complexe, moins logique. Il porte des inédits de situation. Par exemple, nous pouvons inverser les hypothèses précédentes et trouver dans ce renversement dialectique autant de vérités de situation.

Au Québec, par exemple, l'affirmation de la culture première et ses conséquences politiques porte une dynamique de libération, un risque historique, une éthique à la fois d'enracinement et de dépassement. Bien sûr, le danger de se refermer sur soi demeure. Mais l'analyse culturelle et historique du néo-nationalisme chez nous révèle que la libération et l'affirmation nationales, contrairement aux apparences, ont une plus grande ouverture sur le monde contemporain et sur l'histoire qu'un certain fédéralisme conservateur, très sécuritaire en l'occurrence. Il faut rappeler ici un aspect majeur de l'histoire canadienne. Celle-ci a été très marquée par les loyalistes anglophones qui refusaient la Révolution américaine, par les catholiques francophones qui boudaient la Révolution française, et par les allophones qui ont fui les révolutions socialistes.

Mais d'autres données contribuent aussi à renverser la première hypothèse: culture première sécuritaire, culture seconde libertaire. En effet, c'est précisément au niveau de la culture seconde qu'on trouve l'univers sécuritaire des classes moyennes, de leur copie conforme, de leur style de vie standard défini par les mêmes centres commerciaux qui quadrillent l'Amérique de Los Angeles à Montréal, de Vancouver à Miami en passant par Toronto et New York. Le Québec en affirmant une différence culturelle et historique qui veut se donner une politique, heurte un *American way of life standard* de plus en plus profondément sécuritaire et superficiellement libertaire.

Notons que cette culture standard des classes moyennes nord-américaines a été intériorisée par la plupart des Québécois. D'où un tiraillement intérieur qu'on oublie pour ne retenir que l'échiquier politique des camps en présence : Ottawa, capitale fédérale, vs Québec, capitale nationaliste ; anglophones vs francophones; multinationales américaines vs autodéveloppement québécois ou canadien. Une observation quotidienne nous montre que cette dramatique s'est installée dans la conscience et dans la vie de chacun, même si les accents ne sont pas les mêmes. L'analyse politique souvent très formalisée et même ritualisée survole allégrement ces données du sol et du sous-sol quotidien des pratiques et de la conscience.

Voilà où nous a amenés cette tentative d'intelligence culturelle et historique nécessaire à une plus juste compréhension de ce qui nous arrive. Mais celle-ci a besoin aussi d'une solide démarche philosophique, comme nous allons le voir dans la dernière étape.

Une philosophie critique...

... peut alerter les Québécois sur un double défi éthique et politique:

— inventer un nouveau rapport plus judicieux et plus dynamique entre les deux registres historico-culturels décrits plus haut.

— bien comprendre et vaincre cet étrange mélange nord-américain d'un sécurisme inavoué et d'un comportement libertaire superficiel, qui semble marquer le tournant historique actuel. (L'Europe occidentale en est-elle épargnée ?)

Une solide philosophie critique nous invite à interpeller, chez nous, non seulement un fédéralisme et un nationalisme primaires, menacés par les trois travers signalés dans cette étude, mais aussi une rhétorique libérale et une rhétorique socialiste, opposées idéologiquement, mais semblables dans les pratiques quotidiennes.

Par exemple, il se pourrait bien que la «sécurité nationale» utilisée par une certaine droite « libérale » et la sécurité absolue d'emploi revendiquée par la gauche « socialiste » appartiennent toutes deux à un même fond sécuritaire.

Les deux rhétoriques se disent progressistes! Elles survolent des contradictions factuelles qui défient une philosophie critique minimale. Elles sont aussi contestablement libertaires quand dans leurs revendications concrètes elles réclament la liberté pour soi tout en renvoyant constamment la responsabilité à la société. Elles regroupent en deux camps idéologiques la nouvelle classe des promus qui participent pourtant à un même moule d'intégration.

Tout ce beau monde enrichi artificiellement par la tertiarisation récente convoite les mêmes biens, peu importe si on est nationaliste ou fédéraliste, capitaliste ou socialiste. Au fond, ni l'une ni l'autre des rhétoriques officielles ne reconnaissent les deux vraies classes : les intégrés et les exclus.

On mesure ici la pertinence d'une solide philosophie critique qui parvient à rejoindre une situation occultée par les rhétoriques en présence. Rhétoriques qui cachent mal non seulement une médiocrité morale et des égoïsmes déguisés, mais aussi une pauvreté philosophique et politique navrante. En effet, celle-ci est évidente dans le débat superficiel et piégé entre les libertés individuelles proclamées par la droite dite libérale et les libertés collectives défendues par la gauche dite socialiste.

Une éthique philosophique enracinée sait discerner dans notre contexte historique actuel une double inconsistance, tant chez les individus de plus en plus en insécurité, incertains, que chez les communautés, les institutions et la société elles-mêmes de plus en plus disloquées. Or, une solide culture politique, une vraie pratique démocratique, une conscience historique cultivée et surtout une démarche philosophique avertie nous enseignent que l'individualité et la socialité s'appellent, que la faiblesse de l'une gruge la force de l'autre, que dans le jeu politique de classes, les nantis n'ont que leur individualité à affirmer, puisqu'ils ont au départ des réseaux collectifs de pouvoir, d'avoir et de savoir, alors que dans les milieux pauvres la libération individuelle est généralement impossible sans la libération collective.

Il en va ainsi du couple sécurité-liberté qu'on peut considérer dans la même ligne d'intelligence et d'expérience que je viens de développer. Notre contexte actuel nous révèle une double déformation de ce couple fondamental en anthropologie. Je viens d'analyser les travers d'un néo-sécurisme chez nous. Je voudrais maintenant étudier l'autre tendance aussi contestable, celle de l'attitude libertaire. Toujours en ne perdant pas de vue ce que j'ai appelé l'étrange mélange actuel d'un sécurisme inavoué et d'un comportement libertaire superficiel.

2. Le courant libertaire

En Occident, la révolution culturelle est en train de prendre le pas sur toutes les autres... politique, scientifique, économique. Une révolution culturelle multiforme, éclatée en mille et une directions. Une révolution culturelle qui échappe aux grilles savantes des sciences et des organisations modernes. Une révolution culturelle tantôt intérieure, invisible et souterraine, tantôt explosive, effervescente, largement diffusée par l'omniprésence des media. Une révolution culturelle qui se traduit d'abord dans la conscience, la sensibilité, le quotidien, le privé, les rapports humains les plus immédiats et les plus fondamentaux (pensons au rapport homme-femme). Une révolution culturelle qui pourrait bien doubler la trop lente révolution politique (quel paradoxe!) comme le souligne Gisèle Halimi, dans *La cause des femmes*. Mais on le comprend quand on voit l'« empêtrement » bureaucratique et idéologique de tous les régimes et formations politiques, de toutes les grandes institutions.

Ce qui me frappe dans ce phénomène historique explosif, c'est son aspect libertaire. Je veux m'y attarder à cause de son importance.

Le courant libertaire charrie le meilleur et le pire. Comme la liberté elle-même, il est d'une complexité parfois désespérante. Ambivalent, inattendu, capricieux, et parfois d'une vérité et d'une pertinence extraordinaires. Tantôt superficiel, erratique et irresponsable, tantôt profond, essentiel et créateur. Il conjugue souvent l'inédit et le plus traditionnel. D'ailleurs, bien des révolutions dans l'histoire portaient à la limite une idée, une expérience reçue et oubliée qui telle une semence perdue attendait un terrain favorable pour créer un nouveau printemps ou un terrible chiendent.

Certes, il y a aussi dans le courant libertaire cette alternance mystérieuse de l'ordre et du chaos que nous révèle l'économie humaine. L'esprit humain oscille du système à la liberté et vice versa, de la guerre à la paix, de la continuité à la rupture, du dépassement au retour en arrière. Ainsi une génération libertaire peut éduquer des fils sécuritaires, conservateurs, rigides. On voudrait bien donner à la réalité une logique qu'elle n'a pas. La tentation inverse est aussi vraie.

Je ne voudrais pas m'enfermer dans ces préambules, tout nécessaires fussent-ils pour comprendre un peu les énormes bouleversements culturels de notre temps, leurs aspects positifs et négatifs, prometteurs et régressifs.

Avant d'entreprendre une analyse un peu plus systématique, voyons quelques indices groupés dans une première problématique.

Dans sa perspective libertaire, la révolution culturelle est d'abord une protestation, une contestation radicale, un rejet vital face à ce que j'appellerais le « génie du système » porté à des limites extrêmes par une révolution scientifique et technologique, inédite, gigantesque, plus contraignante que les dogmatiques d'hier, plus irréfutable de par sa rigueur empirique. Ici, le technocratisme savant dépasse tout ce que nous révèlent les expériences bureaucratiques des cités et des empires préindustriels. On ne saurait tenir à la marge la critique utopique de Huxley, d'Orwel sur l'homme et la cité robotisés de l'avenir. Les structuralistes, les systémiques, les programmateurs de tout crin ne cessent de nous ramener au « système », à la structure atomique, biologique, écologique, cybernétique, culturelle, psychosociologique, organisationnelle, politique. Des savants cherchent le système qui fédère toutes ces dimensions. Même des idéologues de la libération les singent en fabriquant la grille exhaustive apte à tout expliquer.

La démarche systémique, mécanique s'impose jusque dans la pédagogie, la thérapie... et même dans la musique moderne.

Or, cet âge du système a pourtant été précédé par un âge de multiples révolutions faites au nom de la liberté, de la conscience, de la responsabilité de l'homme capable de faire l'histoire. Une histoire ouverte, inédite, jamais enfermée irrémédiablement dans une dogmatique, dans un régime politique, dans un système. Une aventure humaine qui émerge et se distance de la structure, de tout déterminisme. Révolution de la liberté face à toutes les fatalités. Révolution du progrès dégagé des nécessités enfermantes.

Les révolutions culturelles d'aujourd'hui viennent peut-être du choc entre ces deux courants historiques qui se sont radicalisés au cours du XXe siècle. Affrontement du libertaire et du totalitaire.

Chez nous, les libertaires marquent une double réaction, à la fois contre la vieille structure de chrétienté encore si proche et contre les nouvelles structures qui leur apparaissent aussi contraignantes. Notre création culturelle en témoigne. De même la révolution sexuelle, l'affirmation féminine... et surtout ce fréquent repli sur la vie privée et le projet individuel. On « débarque » de mille et une façons. On se reconstruit à côté. On fuit dans l'imaginaire ou dans la mystique ou dans la nature. Ailleurs... loin des rituels, des institutions en place. Vie privée, week-end sauvage, voyages, nocturnes communards ou délinquants.

A l'endroit du phénomène, des hommes et des femmes se récupèrent, se retrouvent, se redéfinissent. Personnellement et dans leurs rapports quotidiens. Reprise du vécu, à côté de la société abstraite. Recherche d'un vrai projet humain en marge d'un monde enfermé dans ses instruments. Quête du gratuit face à la commercialisation de toutes les activités, face au fonctionnel, au rentable, au monnayable. Une nouvelle vie intérieure apparaît. Qualité plutôt que quantité. Une parole à soi, une identité, une conscience personnelle pour échapper à la standardisation du langage et de l'outil. On se rebiffe devant le passage récent et rapide de la tradition à la conformité. L'aventure individuelle n'y a pas son compte. Voilà ce qu'il faut revaloriser envers et contre tout. Fi du mariage et de la famille, fi de la profession et de l'avenir, fi de la morale ou de la politique.

« Mais c'est le bordel », disent certains critiques du mouvement libertaire.

« N'a-t-on pas perdu le sens minimal de la normalité ? »

« Où est-ce qu'un pareil néo-narcissisme peut mener? Régression infantile, incapacité de faire face à la condition d'adulte, à la difficile construction d'un nouvel équilibre dynamique dans le pays réel de la vie moderne. Une fuite quoi ! »

« Un romantisme servi à la moderne. Une nouvelle version de l'existentialisme ... mais cette fois à l'eau de rose. On ne se touche pas assez ici. »

« Un comportement antipolitique jusque dans la peur d'engagement durable, d'implication sociale soutenue. »

En voilà assez pour marquer l'ambivalence du courant libertaire. Une autre hypothèse surgit : faisons-nous face ici à l'expression tâtonnante d'un nouvel âge ? Il est trop facile de le décréter tout de go. Essayons d'y voir plus clair.

I — Ses aspects positifs

Un sous-sol explosif

Fascinés par le jeu idéologique, chez nous et ailleurs en Occident, bien des analystes des sciences sociales tiennent à la marge de leurs diagnostics l'important courant souterrain d'une affirmation explosive de l'individualité. Certes, on peut remonter ce courant jusqu'aux origines de l'histoire occidentale pour y trouver des jalons préparatoires. Pensons à Socrate qui opposait une conscience individuelle critique face au système politique et religieux de son temps. Jésus a vécu une démarche semblable. De même Érasme, Luther. Et plus près de nous, Soljenitsyne.

Par-delà cette foulée historique de la conscience personnelle en Occident, il faut prospecter cette révolution invisible de l'individualité. J'avais déjà amorcé une réflexion en ce sens dans un ouvrage récent : *Une philosophie de la vie* (Leméac 1977). Mes recherches subséquentes m'ont amené beaucoup plus loin dans cette révolution culturelle polymorphe qui échappe aux scénarios idéologiques et politiques encore trop ritualisés pour rendre compte des inédits culturels contemporains. Avant d'aborder les travers « politiques » du mouvement libertaire, je voudrais signaler quelques éléments positifs que je me dois de reconnaître. Au sortir d'une chrétienté étouffante, la Révolution tranquille est apparue comme la première émergence d'un nouveau projet de société, cette fois, vraiment séculier. Réformes scolaires, sociales et étatiques allaient retenir l'attention. De même l'avènement chez nous des grands courants idéologiques et politiques du monde contemporain. Certes, cette explosion collective se préparait depuis au moins deux décennies.

Une étape mal assumée

Mais je demeure persuadé que le phénomène majeur de cette période a été la révolution souterraine de l'individualité. Elle s'est traduite d'abord par l'émancipation très personnalisée du catholicisme sociologique. Il est étrange qu'on ait si peu discerné l'importance de ce mouvement historique qui a atteint les consciences en profondeur. Mais le fait qu'il soit demeuré souterrain, qu'il n'ait pas été explicité culturellement et politiquement n'a pas aidé non seulement à sa compréhension, mais aussi à son assumation. Pourtant, au même moment, ailleurs, les révolutions culturelles occidentales vivaient elles aussi cette explosion sauvage de l'individualité. Ce qui allait renforcer la nôtre.

Quand je pense ici à l'explicitation politique, je me réfère au fait que bien des Québécois sont passés du catholicisme unitaire à d'autres idéologies unitaires, et aussi de la tradition à la conformité, sans assumer clairement cette phase explicite d'individuation qui a marqué une étape de l'histoire américaine. Riesman a bien saisi cet itinéraire en trois étapes : *tradition-directed, inner directed, other directed* (rails du traditionalisme, giroscope intérieur de l'entrepreneurship individuel, radar de la conformité dans les classes moyennes). Une grille bien connue, je n'insiste pas.

Mais ce qu'il faut signaler c'est le chemin particulier, apparemment marginal, de la conscience individuelle qui s'est d'abord affirmée en opposition avec les contraintes socio-religieuses de la chrétienté. La déconfessionnalisation de la plupart des institutions n'était en définitive qu'une opération de surface par rapport à l'émancipation de la conscience personnelle tant chez les croyants que chez les autres. Pensant que la chrétienté était désormais chose du passé, plusieurs ont cessé de réfléchir sur ce qui leur arrivait en ce domaine beaucoup plus profond qu'ils ne le croyaient, tant dans l'expérience collective que dans la vie individuelle, privée, intime.

Peu à peu allait prendre vie et élan cette révolution souterraine et invisible de l'individualité, sans qu'elle soit clarifiée historiquement, politiquement, culturellement. D'où son caractère sauvage, inattendu, peu saisissable. La crise d' *Humanae Vitae* (la fameuse pilule!) a tourné autour de la libre décision de la conscience. Un indice entre cent. Des adolescents quittaient la maison paternelle, des époux se séparaient, des prêtres et religieux se laïcisaient au nom de leur épanouissement personnel. L'individu découvrait l'importance de *son* aventure, de *sa* vie, de *sa* liberté, de *sa* décision. Tout cela s'affirmait contre un certain cadre institutionnel sacralisé du catholicisme sociologique, contre une morale extérieure au cheminement de la conscience, contre une dogmatique religieuse rigide et totalitaire. Du moins, c'était la perception de plusieurs.

Des courants souterrains convergents

La révolution féministe me semble porter à la fine pointe cette affirmation de l'individualité. Non plus une femme en fonction de ceci ou cela, mère de Pierre, épouse de Paul, fille de Jean, mais d'abord un individu qui vaut pour lui-même, qui a sa vie propre, son entièreté personnelle et sociale, jusque dans l'usage de son corps. Je me demande si la révolution féminine ne marquera pas davantage le XXe siècle que ne le fera la révolution chinoise. Il y a là un changement culturel de portée politique peut-être beaucoup plus profonde que la plupart des changements politiques comme tels.

La révolution individuelle passe aussi par notre acculturation au phénomène urbain moderne qui valorise paradoxalement plus l'individualité que la socialité. Non seulement, par l'importance accordée à la capacité individuelle, aux valeurs de liberté, de choix, mais aussi par les réactions « personnalisantes » face à l'univers techno-bureaucratique, anonyme, abstrait, froid, instrumental. Même les thérapies sont pratiquement toutes centrées sur la dynamique individuelle. Envers de la crise d'identité dans la cité impersonnelle et taylorienne où chacun ne connaît de son voisin ou de son camarade de travail qu'un seul aspect, où l'individu lui-même et sa vie sont segmentarisés au point de rendre très difficile le besoin majeur de se retrouver dans l'ensemble de ces multiples expériences qu'offre la ville.

La culture nord-américaine a renforcé cette nouvelle conscience. En effet, l'Américain dans sa culture historique de base mise surtout sur l'initiative individuelle, sur l'indépendance personnelle. Ce vieux fond demeure sous le conformisme de la classe moyenne et du centre commercial.

Influence aussi de la société d'abondance qui permet à bien des individus de s'abstraire des solidarités obligées qu'imposait la société traditionnelle de pénurie.

Je pourrais allonger la liste de ces divers courants souterrains qui ont alimenté la révolution de l'individualité et ses prolongements libertaires, jusque dans des phénomènes culturels inédits. Telle cette dynamique du désir et du plaisir qui marque une profonde rupture historique avec la religion du salut, avec une politique de domination hiérarchique, avec une morale de la contrainte, avec le ritualisme rigide des institutions traditionnelles. Il y a ici un phénomène nouveau de par son ampleur, sa profondeur, sa diffusion dans les sociétés occidentales. On passe de l'agressivité dyonisienne à l'intériorité apollinienne. Pensons simplement à ce qui passe dans les attitudes actuelles face au travail. Vivre d'abord! Etre bien dans sa peau. « Ma vie, je la veux toute toute », chante la populaire Angèle Arsenault. Comme chez les Américains de la génération montante qui ont voulu donner un sens politique à leur révolution culturelle des années 60, et qui aujourd'hui tentent tout simplement de vivre leur idéologie libertaire de l'individualité, ainsi, bien des jeunes et des moins jeunes d'ici se replient sur leur projet personnel qui pratiquement prend cent fois plus de place que le projet collectif d'indépendance politique. On est plus libertaire que politique. Voir les résultats semblables d'une enquête récente auprès des jeunes Français.

Du primitif à l'utopique

L'anthropologie culturelle comme la psychanalyse pourraient nous conduire beaucoup plus loin dans la prospection de ces jeux souterrains, de cette pénible et très profonde recherche de libération qui creuse davantage qu'elle n'ajoute. On veut tout reprendre par le fond jusqu'aux origines cosmiques, jusqu'au chaos primitif, jusqu'à la petite enfance. On y retrouve un schéma initiatique de base qui existait dans presque toutes les sociétés. Tel le potlatch des Indiens qui consommaient tout dans la fête, en détruisant les restes, pour recommencer à zéro, pour retrouver la dynamique originelle, pour faire éclater ce que le temps a ritualisé et cristallisé.

D'autres verront dans le mouvement libertaire un néo-narcissisme adolescent, un négativisme de pure contestation qui montre le peu de maturité adulte des citoyens de la ville moderne. Car il pourrait bien y avoir des phénomènes régressifs dans cette révolution culturelle. Le recul devant les responsabilités politiques d'un nouveau style de vie est symptomatique. Mais peut-être s'agit-il d'un passage obligé par le chaos, le refus, le désespoir, la révolte, la crise, avant le saut qualitatif d'un autre type d'homme, d'un autre projet de société.

Cette ouverture radicale du mouvement libertaire a peut-être plus d'avenir que la précipitation dans de nouveaux corridors idéologiques, politiques. Combien parmi nous sont en politique ce qu'ils étaient en religion? D'un collectif à l'autre, d'une structure à l'autre, d'une dogmatique à l'autre sans une véritable individualité capable de décision personnelle soutenue et de volonté politique audacieuse, judicieuse et ouverte aux divers possibles.

Voilà l'aspect positif de cette trop souterraine révolution libertaire que même les militants de gauche n'ont pas assumée, tout en la vivant eux-mêmes, mais d'une façon parallèle à leur discours socialisant et à leur politique dite collective. Certes, il y a un envers à cette révolution qui doit être critiquée à son tour à partir d'une nouvelle conscience politique. Ce sera l'objet de la deuxième étape.

II — Ses aspects négatifs

Antipolitique

Le monde libertaire est pluriforme. Il s'alimente à divers courants tantôt complémentaires, tantôt parallèles, tantôt contradictoires, tantôt éclectiques.

Certains convient Marx, Freud et Nietzsche au même rendez-vous. D'autres les opposent au nom d'inédits culturels en rupture profonde avec ces premiers maîtres du soupçon. A l'extrême limite, de jeunes philosophes pratiquent une sorte d'existentialisme nihiliste qui, par-delà une nouvelle conscience malheureuse, s'en prend à toute forme de pouvoir et même de politique. A leurs yeux, le pouvoir politique porte toujours en germe un totalitarisme de droite ou de gauche. Procès de ce pouvoir pur qui est la clef de voûte de toutes les militances idéologiques et politiques. Barbarie, peu importe le visage humain des discours légitimateurs, peu importe le masque noble des intentions, des valeurs proclamées. Droite et gauche parlent de liberté et de justice, mais c'est leur pouvoir qui les intéresse. Même les anarchistes « politiques » seraient des esprits totalitaires qui s'ignorent. Sartre disait hier que l'homme était une passion inutile. Avec les jeunes philosophes, cette idée passe de la conscience à la politique. Du meurtre psychologique du Père à l'assassinat politique du Pouvoir-Maître. Mais attention! les brigades rouges s'enferment dans la logique qu'elles veulent détruire. Tous les terrorismes se ressemblent. Même l'imagination au pouvoir!

Le courant libertaire ne se loge pas seulement sur ce suprême créneau! Il s'exprime d'une façon très diffusée dans le procès de l'Etat toujours répressif, peu importent les régimes. Ces mêmes rets techno-bureaucratiques qui emprisonnent la planète, au grand dam des libertés individuelles. Monde univoque qui ne permet pas un véritable jeu démocratique de relativisation et de limitation des pouvoirs les uns par les autres.

Procès aussi de la Nation qui prend le relais de la religion. La contestation, ici, se fait plus profonde puisqu'il ne s'agit pas seulement d'une structure déifiée, mais d'une totalité historique, culturelle et même « tripale » (tribale!) autrement plus globalisante et contraignante. Et que dire du couple Etat-Nation!

Rien n'échappe à cet abrasif

D'autres libertaires vont jusqu'à contester radicalement l'impérialisme scientifique qui se cache derrière le capitalisme privé ou l'Etat, et plus subtilement derrière un progrès technologique qui masque par sa pseudo-neutralité les pouvoirs en amont et les intérêts en aval. L'infaillibilité scientifique serait autrement plus redoutable par sa logique irréfutable, dans la mesure où l'on se restreint au corridor de rationalité choisie. De nouvelles synthèses multidisciplinaires nous amènent plus loin pour nous convaincre que nous sommes totalement structurés, programmés, conditionnés. Fichtre! la liberté, la conscience et la volonté politique. Des libertaires veulent démystifier ce nouveau monstre sacré, fils de la déesse Raison, française en politique, allemande en philosophie et anglaise en économie. Cette même déesse trône sur les nouveaux impérialismes américains et russes. N'a-t-on pas vu les scientifiques des deux colosses s'entendre pour faire chanter leur pays respectif? Les Américains... les Russes sont en train de nous dépasser... il faut investir dans la recherche... les armes!

Les institutions les mieux établies comme la famille et l'école n'échappent pas à la critique libertaire, et cela jusque dans leurs rapports les plus fondamentaux, tels ceux du couple, de l'enseignant-enseigné! Décoder, déconstruire, démystifier, essoucher. Plus l'opération est radicale, plus elle trouve preneur en certains milieux. L'évolution d'Illich et de ses disciples en témoigne. Du *Deschooling Society* au *Chômage créateur.*

Certes, au même moment, comme je l'ai déjà signalé, on constate le mouvement inverse vers le conservatisme. Ce balancement aux extrêmes s'exprime particulièrement dans les institutions fondamentales précitées et dans le domaine affectif au sens large du terme. Pensons à des questions comme celles de l'avortement.

Un crypto-conservatisme

Phénomènes bien ambigus, puisque souvent le courant libertaire et le courant conservateur s'emmêlent étrangement. Par exemple, bien des peurs se cachent chez des libertaires qui semblent incapables d'assumer des risques à long terme, des expériences exigeant un long effort. De même, certaines revendications dites progressistes réclament la sécurité absolue d'emploi, la définition fermée des tâches, le « gel des effectifs ». Un néo-corporatisme, renforcé tantôt par un professionnalisme de plus en plus étroit, tantôt par un taylorisme plus poussé que celui des administrations traditionnelles. Même les conceptions dites révolutionnaires du travail, de l'éducation, de la convivialité, chez Illich, exigeraient des politiques autoritaires et souvent conservatrices pour leur mise en oeuvre effective. Ne pourrions-nous pas appliquer un jugement semblable à certaines exigences progressistes, irréalisables sans un Etat dirigiste, répressif sinon très contraignant ?

L'ambivalence est encore plus évidente dans le cas de l'écologie qui sert aussi bien à la contestation du progrès technologique et du système socio-économique qu'au retour à la nature vierge, à l'artisanat et parfois à des modèles archaïques que les esprits les plus conservateurs ne supporteraient pas si on les mettait en application. Combien d'éco-utopistes sont prêts à ne plus utiliser leur auto, l'avion et quoi encore !

Il n'est donc pas facile de départager l'ivraie et le bon grain dans les divers courants libertaires. Nous tenterons de le faire avec le plus de nuances possibles, à cause de la complexité indéniable de cette gigantesque révolution culturelle polymorphe, multidimensionnelle. Mais auparavant, je veux m'attarder au caractère snobinard, superficiel et éclectique, trop fréquent chez nous, du courant libertaire.

Des chômeurs heureux ?

Que de choses hétéroclites ne met-on pas dans le même sac. J'ai devant moi une série d'articles écrits par un sociologue du ministère du Travail. Avec quelle naïveté (sérieuse !) il tente de montrer comment la libération de la femme passe par l'écologie, que le travail est père de tous les maux (un autre meurtre à perpétrer), que les chômeurs sont heureux, que les gens aspirent à réduire leur consommation. Tout cela, chez un « expert » formé à l'observation du « pays réel » tout autant qu'à sa critique. Il y a ici un je-ne-sais-quoi de snobisme à l'affût de l'insolite, du dernier cri et de la toute dernière mode, à la remorque du dernier Illich ou d'un article de revue américaine, grapillé quelque part dans la documentation du ministère. A moins qu'il s'agisse tout simplement d'une recension lue en fin de semaine dans le *Nouvel Observateur* ou le *Time Magazine.* Certains libertaires pensent en fonction du dernier ouvrage, du dernier film. Une philosophie du prêt-à-jeter comme la canette de bière. Plus c'est osé (la semaine de vingt heures !), plus c'est insolite, plus c'est contestataire...

Un nouveau snobisme

Dans la même livraison de notre journal intellectuel, *Le Devoir,* je lis la quatrième ou la cinquième recension d'un ouvrage d'un biologiste à la mode qui s'est improvisé philosophe dans *l'Eloge de la fuite.* Une X^{e} apologie sans aucun discernement critique. Le recenseur libertaire applaudit Laborit qui se contredit au moins dix fois dans son ouvrage.

Après avoir dit que la démocratie est impossible parce que tout le monde obéit aux mêmes pulsions, le biologiste philosophe nous affirme un peu plus loin que tout relève en définitive de la volonté politique. Il nous faut devenir plus créateurs, plus imaginatifs, peu importe si toute la première partie de l'ouvrage prouve que nous sommes totalement programmés et que la liberté n'existe pas. Ça se prouve biologiquement ! Un peu comme le vieux scientisme du siècle dernier qui n'a pas trouvé la conscience au bout du scalpel. Pourquoi ne pas expliquer les cathédrales par l'analyse du mortier, comme le suggère A. Koestler avec ironie? Vous riez! Laborit nous dit sérieusement: « Le seul amour qui soit vraiment humain, c'est un amour imaginaire... car il n'existe pas d'aire cérébrale de l'amour. »

Le libertaire lecteur, si préoccupé de sa liberté, de son aventure individuelle trouve géniales ces autres affirmations de Laborit: « L'existence de l'individu n'a aucune signification... seule l'espèce. » « Chacun de nous depuis sa conception a été placé sur les rails dont il ne peut sortir. » « Il faut perfectionner la grammaire en sachant que nous ne pouvons comprendre la sémantique. » Tiens! le mystère qui surgit tout à coup dans la nouvelle grille.

Avec Habachi, je préfère « la fenêtre du pauvre ouverte sur les cris de la rue ». Le plus drôle dans tout cela, c'est qu'une culture scientifique minimale apprendrait à ce snob crédule que les bases biologiques elles-mêmes de Laborit n'ont rien d'une thèse irréfutable. Le biologiste Hamburger a démontré, par exemple, l'individuation très poussée de l'organisme humain, d'où la difficulté des greffes.

Que le recenseur libertaire n'en sache rien, je ne m'en scandalise pas, mais qu'il applaudisse un pseudo-philosophe qui décrète l'inexistence de la liberté, cette même liberté si chère au libertaire... j'en perds mon latin. « Tout le monde est à droite » geint Laborit et que oui! si j'en juge par le déterminisme totalitaire de la nouvelle grille et par la connerie du recenseur libertaire tout heureux d'apprendre que sa liberté n'est pas du réel, mais d'un imaginaire... « conformé de mieux en mieux à la syntaxe cosmique, celle qui permettra peut-être un jour d'écrire sans la comprendre la phrase qui contient le secret de l'univers ». Métaphysicien va! Très conservateur à part ça! Mais aussi fossoyeur de la liberté, de la politique, de la conscience.

Dis n'importe quoi, mais dis-le bien... et les libertaires snobinards t'adoreront! Etre aussi lucide sur les conneries d'hier, et l'être aussi peu face à celles d'aujourd'hui!

La pensée éclectique, plus que toute autre, est à la mode. Je me souviens de ce succès fou obtenu par un sociologue avant-gardiste qui expliquait à des travailleurs sociaux ébahis comment appliquer le système éco-auto-ré-organisateur d'Edgar Morin dans leur travail quotidien auprès des mères nécessiteuses, des foyers nourriciers, etc. Passe pour une conversation interdisciplinaire au salon! Mais dans la cuisine tout de même, il y a peut-être des requêtes un peu plus concrètes de budget... ou de services qui ne souffrent pas pareils détours!

Mgr Paquet ressuscité!

Les promus de la Révolution tranquille ressemblent souvent à de nouveaux riches qui se doivent de ne pas ignorer et d'utiliser le dernier gadget... même intellectuel. Ce genre de libertaire situe le Québec dans la société post-industrielle et dans la civilisation des loisirs, peu importe son sous-développement socio-économique, ses faiblesses technologiques, ses 70 p. cent de travailleurs sans scolarisation suffisante, son pauvre pourcentage de jeunes 18-24 ans dans les cégeps et universités; peu importe si la minorité anglophone occupe 50 p. cent des secteurs professionnels scientifiques, 80 p. cent du secteur commercial; peu importe le cercle vicieux de notre sous-développement: économie débile, chômage massif, services sociaux très coûteux, taxes surélevées. Eh oui! la société post-industrielle du loisir. De la Laurentide pour tout le monde! Laissons le développement économique aux autres. Une nouvelle version du messianisme spirituel de Mgr Paquet au début du siècle?

Et que de contradictions

Les libertaires ne sont pas à une contradiction près.

—La liberté pour soi et la responsabilité à l'Etat.

—A la société essentiellement répressive, le libertaire oppose son droit absolu, peu importe celui du voisin.

—Il est pour l'égalité, mais pas au point d'accepter de perdre un sou de son salaire. Certains marxistes de luxe s'entendent ici très bien avec les libertaires.

—Il est contre toute censure, mais il réclame en même temps que l'Etat réprime les exploiteurs du sexe, de l'argent et de la violence.

— Il veut que l'enseignement religieux soit remplacé par l'enseignement moral, tout en soutenant que la morale est une affaire exclusivement privée.

— Il est contre l'intérêt privé (capitaliste) sauf le sien.

— Il ne s'achète pas une grosse voiture, mais se paie un système de son super luxueux qu'il impose à ses voisins d'appartement.

— Il trouve les gens *straight* bien «pognés» alors qu'il vit sa liberté avec une angoisse insurmontable, des peurs innommables, des conformismes inavouables.

— A l'obsession malheureuse de l'avoir, il substitue celle aussi malheureuse du jouir. (Les fils imitent souvent leur père... d'un libéralisme à l'autre quoi !)

Drôle de gauche que celle des libertaires !

Des libertaires franchement à droite

Mais il existe d'autres types de libertaires plus directement reliés au libéralisme parfois le plus éculé. Ces libertaires légitiment le statu quo en érigeant en absolu les libertés individuelles pour les opposer au danger totalitaire du collectif. Comme si c'était la plus grande menace dans les sociétés libérales du chacun pour soi, de l'intérêt privé à n'importe quel prix social, de l'individualisme le plus forcené.

D'une façon simpliste, on réduit tout à la dichotomie individu-Etat. Pas un mot sur la pauvreté des tissus sociaux, l'absence de communauté véritable, le caractère éphémère des groupes, l'instabilité des rapports humains, l'asocialité quotidienne des comportements.

Pas un mot sur le fait que dans les classes nanties avec leurs réseaux collectifs d'avoir et de pouvoir, il ne reste que l'individualité à affirmer. Alors que dans les milieux pauvres, la libération individuelle passe inévitablement par la libération collective. Pensons à l'histoire du mouvement ouvrier. Les droits individuels existaient «juridiquement», mais ils n'étaient pas accessibles dans bien des cas. Il a fallu l'organisation syndicale et politique en ces milieux pour assurer des droits individuels et collectifs puisque non seulement des personnes mais des communautés d'hommes, de femmes et d'enfants étaient exploitées. Cette histoire de libération n'est pas terminée. Qu'il s'agisse de classes ou de nations dominées.

Les syndicats britanniques ont arraché de haute lutte collective le simple « droit individuel » de voter aux élections. Comment minimiser dans un tel contexte les droits collectifs sans laisser uniquement aux plus forts, aux plus riches l'accès aux tribunaux, aux avocats, etc. ? C'est faire preuve d'une bien piètre philosophie politique et d'une pauvre conscience historique.

D'ailleurs, la philosophie tout court et les sciences humaines nous ont pourtant appris, du moins en Occident, que le pôle de socialité et celui de l'individualité doivent être aussi forts pour un équilibre dynamique. Et cela, dès la genèse de l'aventure humaine chez l'enfant. Sa personnalité ne peut émerger sans des rapports sociaux sains avec ses parents. Certes, de par le monde, des anthropologies culturelles situent diversement la dimension individuelle et la dimension sociétaire. Par exemple, nous ne sommes pas ici dans une culture collectiviste et nous ne saurions établir un régime politique à la chinoise. Certains idéologues radicaux sont aussi loin du pays réel que le sont les libertaires précités. Ceux-ci ont aussi des conceptions contestables de la culture. Un peu comme les bourgeois du siècle dernier qui en faisaient une réalité à côté, et souvent un privilège. Quant à la culture populaire, elle devait rester dans l'univers du folklore sans prétendre à quelque sens politique que ce soit.

Aujourd'hui, on nous sert une nouvelle version du libéralisme dans l'idée du multiculturalisme apolitique aussi inoffensif que le pluralisme d'opinions privées par rapport à une véritable confrontation politique de différentes idéologies porteuses de divers projets de société. Il faut donc bien savoir ce que l'on met sous les termes : multiculturalisme, pluralisme. Ce peut être une façon déguisée de masquer les vrais rapports sociaux de classes, de communautés culturelles, de nations.

Le refus de mettre en regard culture et politique a d'énormes conséquences dans le contexte actuel. Par exemple, ce refus permettra d'oublier le fait que le capitalisme « libéral » a tué bien des cultures tout en imposant souvent des comportements culturels frelatés. Au plan mondial, le capitalisme transnational tout autant que l'impérialisme soviétique s'est asservi Etats et nations, tout en destructurant dans bien des cas les bases culturelles de leur identité. Plus que des ressources naturelles pillées, ce sont des dynamiques culturelles qui ont été brisées, précisément ces forces humaines à long terme que l'on trouve dans l'expérience historique et culturelle d'un peuple.

Face aux deux impérialismes actuels, il est suicidaire de refuser tout sens politique d'avenir aux Etats, aux nations, aux cultures. Les libertaires superficiellement internationaux, multiculturels, pluralistes et individualistes font le jeu de pouvoirs qui ont tout intérêt à nier le fait politique des classes, des peuples, des Etats. L'idéal serait ici un pouvoir économique mondial le plus concentré possible, des succursales étatiques dociles et une même culture de centres commerciaux aux quatre coins de la planète. L'ONU se chargerait d'une charte des droits individuels allongés d'année en année, tel celui de se promener avec son chien dans le centre commercial.

Et voilà pour le bonheur moyen de l'homme moyen qui fait reculer la frontière politique par la conquête de nouveaux droits individuels dans la société libérale, libertaire idéale. Car, dans le domaine des droits individuels, il y a place pour l'infini... de nouvelles libérations. Nous en avons un avant-goût chez nous, à la Commission des droits de la personne. Elle est aux prises avec les requêtes les plus farfelues d'un nombre grandissant de libertaires frustres. « Eh quoi! mon chien n'a-t-il pas le droit de déféquer où il veut... on est libre dans ce pays, oui ou non ? » Un peu plus et le libertaire exigerait que le gouvernement passe une loi pour protéger les libertés individuelles du chien et de son propriétaire face à la répression du milieu, du « collectif ». Mais j'oubliais que, pour ce genre de libertaire, l'Etat est essentiellement répressif.

Décidément, à gauche ou à droite, les libertaires semblent bien peu libérés!

Voilà des travers qui ne doivent pas, cependant, nous faire oublier les dynamiques portées par le mouvement libertaire; dynamiques que nous avons tenté d'éclairer dans la première partie de ce chapitre. Mais il est un autre courant qui va nous aider à compléter ce cadre de compréhension des orientations culturelles sous-jacentes aux discours comme aux pratiques d'aujourd'hui.

3. Le vieux fond dogmatique, clérical, corporatiste

I — Ornières d'hier et d'aujourd'hui

Après tant de procès du cléricalisme dogmatique et corporatiste d'hier, qui aurait cru au retour du refoulé d'un tel héritage ? Sous un déguisement laïc, cette fois. La mystification est d'autant plus difficile à décrypter. Pourtant, nous aurions pu nous y attendre puisque la chrétienté est encore si proche de nous. On ne fait pas fi ainsi du chiendent comme du meilleur de l'histoire.

Ce fut peut-être une des plus grandes illusions des deux dernières décennies. Je soupçonne même que les deux travers récents: la tentation sécuritaire et le mouvement libertaire ne sont pas étrangers à ce terreau historique que nous avons cru naïvement abandonner comme une défroque au tournant des années 60. Aujourd'hui on veut la récupérer, mais voyez comment ! Telle la protection nostalgique des monuments historiques, sans l'âme qui les a habités.

C'est à se demander si le pire de notre expérience historique ne remonte pas parfois en surface d'une façon déguisée, inconsciente, sans que le meilleur n'ait trouvé chez nous de nouveaux chemins de fécondité.

Les uns parlent des nouveaux clercs, d'autres d'un néo-corporatisme professionnel et syndical. Plusieurs s'inquiètent des nouvelles formes de dogmatisme. Nous ne sommes pas les seuls à vivre pareils problèmes. Face à l'insécurité d'une prospérité menacée, face à la confusion mentale et sociale de bien des citoyens dans une société éclatée, et acculée à une profonde redéfinition d'elle-même, plusieurs occidentaux cèdent à de nouvelles tentations dogmatiques et sectaires et aussi à de nouveaux protectionnismes corporatistes.

On me dira que l'indifférence, l'apathie et la médiocrité caractérisent davantage la majorité des citoyens. Il me semble que ces deux registres s'appellent l'un l'autre. Par exemple, certaines violences occidentales pourraient bien venir du vide spirituel créé par le matérialisme vulgaire d'une publicité et d'une consommation souvent futiles. Banalisation et aplatissement d'une expérience humaine sans profondeur ni horizon. De même les grandes organisations anonymes et mécaniques peuvent provoquer des réactions de sectes, des communautés sauvages et aussi le repli «corporatiste» de certains groupes.

Chez nous, ces phénomènes modernes se conjuguent parfois avec un vieux fond historique villageois, « paroissial » et parfois clanique. Et dans le sauve-qui-peut du chômage et de l'inflation, individus et groupes affirment leurs revendications ou leurs droits uniquement à partir d'eux-mêmes. D'ailleurs, il n'est pas facile de préciser l'intérêt général, surtout quand on ne sait plus très bien qu'est-ce qui peut faire tenir ensemble une mosaïque urbaine aussi disparate, un pluralisme souvent superficiel, un débat idéologique incohérent, bref une société éclatée.

Bien sûr, la jeune affirmation québécoise est un atout de solidarité et d'appartenance qualitative, même dans le contexte difficile où elle se déploie. Vue à partir de ce fond de scène que je viens d'esquisser, elle apparaît à la fois comme une force historique capitale, mais aussi comme une tentation de repliement si elle n'est pas assumée avec discernement, ouverture et réalisme. Ce n'est pas une raison pour ne pas foncer dans l'avenir et risquer certaines décisions politiques que nous avons sans cesse remises à plus tard. Par ailleurs, refuser toute forme de compromis ou de négociation nous ramènerait dans les ornières d'un certain héritage; plusieurs extrémistes idéalistes ignorent ce danger quand ils assignent à l'indépendance pure la vertu immédiate d'une société nouvelle, évidemment révolutionnaire, sinon progressiste.

Le cas type sur lequel je vais m'attarder est un exemple entre cent de *certaines expériences actuelles qui sont des illustrations anticipées de ce que serait ce pseudo-progressisme de «purs» à la tête d'une nouvelle société québécoise. Je me demande si cette évaluation de telles expériences internes plus concrètes, plus quotidiennes n'est pas plus révélatrice que les scénarios politiques en présence.* Les idéologies des uns et des autres sont ici davantage soumises aux vérifications de pratiques et d'intérêts plus saisissables. Quand le portefeuille, par exemple, est immédiatement touché, souvent les vrais motifs et objectifs apparaissent, peu importe le discours idéologique légitimateur. Ce repère critique ne vaut pas seulement pour juger les gens capitalistes, n'est-ce pas ?

Voyons donc ce cas type choisi dans un domaine où l'on ne peut dissocier l'écorce et l'amande des enjeux, à savoir l'éducation.

II — Un cas type

A un récent congrès de la Centrale des enseignants du Québec, une faible majorité de délégués a mis en cause un certain style dogmatique et clérical de sa bureaucratie syndicale, de son headship monopolisateur. Depuis près de dix ans, la Centrale poursuivait une escalade idéologique sans vérifier sérieusement sa correspondance avec l'évolution de la majorité de ses membres. Jamais certaines questions franches et directes n'ont été posées aux membres eux-mêmes. Par exemple : « Acceptez-vous de faire de l'école un lieu privilégié de luttes des classes dans la logique de nos dossiers, telle "Ecole et luttes des classes au Québec"? »

Certains militants avaient pourtant déjà sonné l'alarme de ce téléguidage idéologique qui se drapait d'un vêtement démocratique aussi trompeur que celui d'un certain libéralisme. Comme nous pouvons nous ressembler les uns les autres ! Aimé Bossé, un ex-militant de la CEQ, avait signalé plusieurs fois pareille cote d'alerte.

« Leur attitude actuelle est le fait d'une aristocratie de permanents syndicaux tout-puissants et inamovibles qui se sentent menacés dans le privilège qu'ils se sont acquis, qui est de décider de l'idéologie des travailleurs. »

On ne peut mieux décrire un pouvoir clérical, dogmatique et corporatiste. Le tournant récent de la CEQ marque un progrès de la conscience démocratique, du sens politique et de la pertinence sociale. C'est une percée encore bien timide, surtout quand on songe au fait que les nouveaux venus se contentent de dire qu'il s'agit seulement d'un renouvellement des méthodes de consultation et de participation pour mieux persuader les membres (!) de la vérité d'une idéologie qu'on n'ose revoir. Peut-être y a-t-il plus dans ce tournant ? J'ose l'espérer.

Le nouveau président de la CEQ disait récemment non sans raison : « La relation de la direction avec ses membres était celle du professeur traditionnel avec ses élèves. Celle-ci utilisait une pédagogie dépassée que les enseignants eux-mêmes ont dénoncée. Elle disait : voici ce qu'il faut penser, de peur que les membres ne donnent pas la bonne réponse. »

Mais certaines prises de position me laissent perplexe. Voyons-en une très révélatrice.

Dans le dossier : *Proposition d'école,* où il est question d'une école de masse au service des travailleurs et d'objectifs correspondants très exigeants, on se contente pratiquement d'une seule affirmation sur les conséquences d'une telle option en termes d'efforts accrus des agents eux-mêmes de l'éducation : « La réalisation de ce projet d'école suppose une grande implication des personnels d'enseignements, l'exercice plus réel du sens des responsabilités, l'assumation de fonctions et de tâches plus exigeantes mais emballantes parce que vraiment ordonnées à la promotion collective des étudiants. »

Tenez-vous bien ! Les congressistes majoritairement ont rejeté cette conséquence logique de l'objectif idéologique proclamé. « C'est un langage patronal », disaient certains radicaux. Je n'y comprends rien, surtout quand je pense au fait que le mouvement ouvrier historique s'est bâti sur le rôle éminent du travail face au capital. Ce syndicalisme idéologico-politique dit radical veut-il faire l'économie de cette racine majeure d'un mouvement historique auquel il prétend se réclamer? Or, durant ce même congrès, un chef d'une Centrale syndicale, qui regroupe surtout des ouvriers du secteur privé, est venu faire état de l'agressivité fondée des travailleurs face à l'école publique actuelle, et aussi entre autres, face à la CEQ. Celle-ci réclame au nom des travailleurs des avantages corporatistes, tel le congé de paternité, alors que la majorité des petits salariés du secteur privé n'ont même pas le congé de maternité !

Encore ici, on trouve une autre expression des contradictions de la nouvelle classe idéologiquement progressiste, mais pratiquement insatiable dans la poursuite de ses intérêts qu'elle associe d'une façon très subtile à la libération des classes populaires. Le plus ironique de tout cela, c'est le rôle d'écran que joue l'aile radicale en levant constamment le drapeau de la révolution prolétarienne. Plus profondément encore on découvre le jeu souterrain de vieux réflexes dogmatiques, cléricaux et corporatistes. Je voudrais m'y attarder.

III — Une idéologie de gauche et une pratique de droite

L'équipe-école de la CEQ est l'aile «pensante» de l'orientation idéologique des dernières années. Elle vient de découvrir le marxisme, et elle en a déjà fait un petit catéchisme. Le diable capitaliste est partout... sauf à la CEQ, toute dévouée à la cause prolétaire, libre de tout intérêt privé, écrasée par l'appareil répressif de l'Etat. Les difficultés de l'école publique viennent des multinationales, du gouvernement petit bourgeois (nous professeurs, nous n'en sommes pas) et de l'école privée. Voilà pourquoi les fils des travailleurs sont évincés de l'école publique, mal traités à l'école. Avec cette grille, la CEQ a tout expliqué scientifiquement, « objectivement » (sic) !

Vous arrive-t-il d'interroger la pertinence de cette explication apodictique, les nouveaux clercs vous accusent de pratiquer la chasse aux sorcières (et la leur ?), le maccarthysme. Vous êtes un réactionnaire, un conservateur et même un antiscientifique.

Je ne puis m'empêcher d'y voir l'expression la plus haïssable d'un héritage manichéen qui nous a profondément marqués. Eh oui ! *Je suis de ceux qui, après avoir lutté contre la scolastique cléricale et ses prolongements politiques autocratiques, constatent avec effarement la remontée de ce vieux schème religieux étouffant sous un visage d'autant plus trompeur qu'il se dit laïc.*

Ils sont marxistes comme nous étions thomistes. De bien piètres thomistes, plutôt des scolastiques avec ce que tout cela comporte: un système mental aussi fermé que total, une logique dite infaillible, une orthodoxie manichéenne, une pensée totalitaire, autocratique. Grâce à une telle mécanique intellectuelle, grâce à cette grille dite exhaustive, nous savions tout. Nous avions la réponse, la vérité, le monopole « clérical » de la science.

Il a fallu « réagir » ! Tant au nom de la vie étouffée qu'à celui des critiques scientifiques modernes. Nous avons d'abord appris à relativiser le pouvoir religieux, politique, économique. Nous avons appris la multidimensionnalité du réel. Nous avons appris que ce même réel, à niveau d'homme, ne pouvait être enfermé dans quelque système que ce soit: politique, économique, philosophique ou religieux.

Nous voilà aujourd'hui devant de nouveaux clercs qui reproduisent la scolastique de nos maîtres, en d'autres termes. Passage ahurissant de la scolastique idéaliste à la scolastique matérialiste identifiée à la Science. Pas une science, mais la Science, un peu comme on la concevait au siècle dernier. Tel un substitut de la religion comme réponse globale. D'Auguste Comte à Althusser, une même filiation scientiste.

Après nous avoir exposé les deux conceptions du monde : le matérialiste (la Science) et l'idéaliste, les nouveaux clercs scolastiques nous disent :

« Les idées s'expliquent en dernière analyse par les situations socio-économiques. »

Et voilà, tout est dit. La réalité n'est qu'économique et le reste, un reflet.

En cela, le capitalisme et le communisme se ressemblent. Histoire et culture, individualité et socialité, liberté et pouvoir, peuples et aventures personnelles s'expliquent par une seule mécanique: la lutte des classes ou bien la main invisible d'Adam Smith. Equivalent du providentialisme d'hier.

Il y a, dans le catéchisme de la CEQ, un marxisme primaire, caricatural. Il suffit de relire « Critique de l'économie politique » du bon vieux Marx pour comprendre sa propre allergie devant pareil réductivisme. « Je ne suis pas marxiste », disait-il prophétiquement. Il avait une trop fine culture historique pour se fermer aux divers possibles de l'homme. Sa pensée sur la culture grecque est très révélatrice.

Latence fasciste

Moi non plus, je ne suis pas marxiste. Mais mon principal propos n'est pas de cet ordre. *La plus profonde mystification d'une certaine gauche, ici, c'est d'être une crypto-droite, de latence fasciste. Etrangement apparentée au vieil héritage de cléricalisme scolastique, d'absolutisme religieux, de corporatisme féodal, de pensée totalitaire. Sans compter une pratique de pouvoir qui fait revivre les manoeuvres politiques d'hier: batailles de clans, manipulations antidémocratiques, autoritarisme interne à la troupe, unanimité clanique qui ne souffre ni la dissidence, ni l'autocritique. Comme dans un certain catholicisme, tu prends tout le paquet ou tu pars. On a vu ça dans l'histoire récente de certains syndicats dits de gauche qui, fait notable, ont des racines dans la chrétienté d'hier.*

Par-delà cet humus historique et culturel toujours vivant, il faut aller jusqu'à la structure mentale pour cerner le schéma religieux manichéen : « Deux conceptions du monde », « deux conceptions de l'homme ». La vraie et la fausse. La bonne et la méchante. Dans la mesure où vous prétendez monopoliser la réalité «objective» et son explication globale, vous êtes en position pour exclure tout autre point de vue et pour légitimer une politique totalitaire. Ici le communisme et le fascisme sont au même rendez-vous. Voyez leurs pratiques historiques. Tous ces régimes sont totalitaires.

Une pratique de droite, crypto-capitaliste

Voyons les applications de l'équipe-école. Je m'en vais prendre leurs propres instruments d'analyse, à savoir les *pratiques réelles* sous les discours, la *position sociale* des auteurs eux-mêmes, et l'occultation de leurs *intérêts privés.* Voyons une affirmation révélatrice :

« Par exemple un chômeur de Saint-Henri n'a sûrement pas la même représentation d'un grand hôtel que l'homme d'affaires de la rue Saint-Jacques. » Quelle est la position sociale de la CEQ et de la corporation enseignante dans ce schéma dichotomique ? Quelles sont les pratiques et objectifs de leur plate-forme revendicative ? Quels sont les intérêts particuliers des enseignants ? Pas un mot dans ce discours légitimateur et mystificateur. Le dossier de la CEQ, « Le Livre vert vers quoi au juste ? » nous l'apprendra. J'y reviendrai.

Pour le moment, notons l'occultation du vrai statut socioéconomique des enseignants, de leur style de vie, de leurs pratiques syndicales et professionnelles. Mystification d'autant plus subtile que la CEQ se prétend du côté du chômeur, en laissant entendre, sans le dire, que nous, professeurs, nous participons à la condition prolétarienne, que nous n'avons rien à faire avec « cette société bâtie sur l'argent », que nous sommes victimes de la répression. En toute objectivité !

Le capitalisme avoué a une enseigne claire : le profit, l'intérêt privé. Mais attention, il y a plus. Dans le discours crypto-religieux des céquistes, ce même capitalisme agit d'une façon occulte comme le diable en train de manigancer une autre stratégie de corruption. Les clercs, jadis, savaient reconnaître le diable jusque dans les replis les plus cachés de son action invisible et souterraine. Serviteurs de la rédemption du peuple, ils se présentaient comme des sauveurs désintéressés, tous consacrés à la « Cause ». Cette Cause noble et généreuse, opposée à celle des méchants clairement identifiés, légitimait un pouvoir qui se présentait comme n'en étant pas un. Aujourd'hui, le céquiste emprunte le même subterfuge en se disant serviteur désintéressé de la libération de la classe ouvrière. Peu importe si, comme le clerc, il est un bon petit bourgeois de classe moyenne extrêmement soucieux de son statut, de son ascension sociale, de son accès aux biens convoités. En ce domaine, le silence de la CEQ est d'une tartuferie incroyable.

Il n'est jamais question du *middle class outlook* dans une large section du syndicalisme public actuel. Laissons cela à la sociologie américaine intégrée au capitalisme, avec ses postulats de départ qui conditionnent ses instruments d'analyse et ses conclusions. Les céquistes, eux, n'ont pas d'intérêts particuliers au départ, ni de réponse toute faite ! Virginité prolétarienne indiscutable et objective ! Le ministère de l'Education, émanation du capitalisme, a une « vision unilatérale des choses ». Pas la CEQ toute une avec le prolétariat québécois, contre l'autre camp : les parents de classe moyenne avec leurs écoles privées, les administrateurs publics et le gouvernement ! La lutte est claire et précise, n'est-ce pas ?

Deux confessionnalismes

« L'école n'est pas le choix d'un groupe de parents, mais celui de la société. »

Qu'arrivera-t-il si cette société ne fait pas le choix de la CEQ ? Le respectera-t-elle ? Quel défi pour des gens qui ne voient qu'une alternative, la bonne ou la mauvaise: l'école prolétarienne ou l'école capitaliste ! Soyons rassurés, la CEQ possède la seule réponse objective, scientifique et infaillible !

Encore ici, on peut se demander ce que craint la CEQ devant des perspectives de décentralisation, de divers types d'école, d'expériences collectives dites privées. Serait-ce la menace de ne pouvoir assurer un contrôle absolu sur ses troupes, entre autres raisons ? Une pensée totalitaire exige l'uniformité !

Je tiens à la primauté du système public, mais en même temps je vais me battre pour une pratique démocratique qui me semble très menacée par ce néo-cléricalisme pareil à l'ancien toujours présent au milieu de nous.

D'une part, une façon catholique d'enseigner les mathématiques, d'autre part, une façon marxiste d'enseigner ces mêmes mathématiques. Rappelez-vous le manuel du premier mai, réplique de l'ancien catéchisme. Même structure mentale de base. Même orthodoxie. Même schéma manichéen et clérical. Même « vision unilatérale des choses ». Club privé ou école de parti, le vieux fond clanique est le même dans les deux cas.

Entre les deux bureaucraties de la nouvelle classe

Cette situation manichéenne s'accentue par la lutte de deux bureaucraties: la gouvernementale et la syndicale. Près de 3000 fonctionnaires à Québec, au ministère de l'Education. Proportionnellement, c'est entre deux fois à cinq fois le nombre des fonctionnaires en plusieurs pays riches. Une énorme machine, une superpolyvalente. Toujours l'idée de la cathédrale. Supercentrale gouvernementale et supercentrale syndicale qui défient une véritable pratique démocratique à la base. Jeunes, parents, professeurs eux-mêmes, administrateurs locaux sont marginalisés de façon ou de l'autre. *L'activité éducative elle-même est noyée dans ces vastes appareillages au sommet, cristallisés dans une convention collective qui rend impossible tout changement important.*

Du coup, c'est mettre en évidence les limites des réformes en cours. Je ne m'en vais pas contester ce minimum. Elles ont bien des faiblesses, mais elles restent « ouvertes ». Ce n'est pas le cas de la réponse céquiste dogmatisée. Voilà pourquoi j'ai voulu la prendre de front, parce qu'elle nous ramène à l'atavisme clérical le plus éculé, sous des dehors trompeurs de progressisme.

Le talon d'Achille: égalité des chances et classes sociales

Les céquistes, avec raison, posent l'énorme problème des classes sociales. Bon gré mal gré, cet objectif d'un changement radical de société ne se fera pas demain matin. Il y a un je-ne-sais-quoi de barbare dans la transformation de l'école des enfants en champ de Mar. Les céquistes devraient avoir le courage de fonder un parti et de porter leur action sur le terrain spécifique des « causes profondes » qu'ils prétendent connaître. En attendant cette révolution céquiste, les travailleurs accepteront-ils une mise en échec de l'école publique par des mandarins qui prétendent parler en leur nom et qui calculent leur travail en minutes? Est-il une façon plus efficace de discréditer les professeurs aux yeux de la population?

Qu'est-ce que les céquistes sont prêts à faire concrètement dans l'école pour « un véritable service public », au-delà de leur lutte bureaucratique contre l'autre bureaucratie ? Quels investissements en temps, en travail, en service, en argent ? On ne trouve rien de cela dans leurs dossiers, bien au contraire, tout surcroît de travail semble aller contre les « droits acquis ». Sous prétexte de ne pas être au service de la classe dominante, la CEQ pratique une politique de refus dont les enfants de l'école publique sont les victimes impuissantes. En toute logique, l'abolition de l'école privée ne changera rien au problème de fond, puisque, au dire des céquistes, l'école publique est soumise à l' « appareil répressif de l'Etat ». Quelle belle rationalisation pour en faire le moins possible, même quand on a en classe des enfants du milieu prolétaire. Mais non, c'est inutile de les aider, c'est d'abord le système qu'il faut abattre ! Fumistes.

Il n'y a pas longtemps, j'ai entendu un groupe de céquistes radicaux dire leur dépit après la signature de la convention collective: « Avec encore quelques semaines de grève, nous aurions pu aller chercher deux ou trois pour cent de plus.» Drôles de révolutionnaires qui pressent le citron public au maximum de leur profit et de leur intérêt privé. Pour jauger l'esprit prolétaire des céquistes, je suggère une proposition: 10 p. cent du salaire des enseignants pour un fonds au service de projets éducatifs en milieux prolétaires. Un beau test de vérité pour évaluer la pertinence de ce discours sur les « inégalités sociales, économiques et scolaires».

Disons en terminant qu'il n'est pas question de désamorcer les combats de justice à mener, encore moins de faire l'apologie de l'école privée ou de la confessionnalité. Dans une perspective d'éducation et de démocratisation qualitative, je crains le tragique retour en force d'un même confessionnalisme en deux camps opposés, mais d'esprit aussi totalitaire l'un que l'autre. Je ne crois pas être le seul à penser ainsi. Je n'ai pas la solution en main. J'ai, moi aussi, ma part de crotte sur les mains, mes propres lâchetés et complicités. Ne pas le reconnaître, c'est retomber dans l'ornière cléricale. Voilà la chausse-trape d'une certaine gauche chez nous, avec sa pureté typiquement fasciste et crypto-religieuse. Une gauche folle appelle une droite folle, et vice versa. L'histoire en témoigne. Je m'en vais le redire aux purs de la CEQ incapables de deux lignes d'autocritique dans leurs discours de gauche et leurs pratiques de droite.

IV — Une interpellation: «proposition d'école» de la CEQ

Dans un dossier récent, la Centrale des enseignants du Québec (CEQ) affirmait ceci:

« Nous dénonçons depuis des années le rôle de l'école et ses conséquences. Aujourd'hui nous proposons un ensemble d'actions qui permettraient d'en corriger un certain nombre pour mettre davantage l'école au service de la majorité. »

Comme bien d'autres, je souhaitais depuis longtemps une démarche constructive qui corresponde aux critiques souvent pertinentes que la CEQ formulait. On ne peut dénoncer indéfiniment sans rien annoncer, au risque de compromettre non seulement sa crédibilité, mais aussi la dynamique politique qu'on prétend porter.

Il faut reconnaître avec la CEQ une certaine faillite de l'école publique dans sa tâche importante de libération et de promotion collectives des classes infériorisées. Tâche qui passe, bien entendu, d'abord par la démarche éducative elle-même, même si l'école ne peut jouer tous les rôles face à cet énorme défi. La CEQ peut s'appuyer sur une multitude d'études scientifiques faites ici et ailleurs sur le déclassement des enfants de milieu populaire dans les systèmes scolaires modernes, malgré toutes les promesses de l'égalité de chances et de la démocratisation. Le dossier « proposition d'école » se refusera donc à séparer la situation scolaire de celle de la société. Du coup, c'est poser le problème politique de l'une et de l'autre.

La CEQ nous promet une prochaine étude sur cette question, en relation avec la gestion, le financement et le rôle des parents. Pour le moment, elle se contente de proposer surtout un certain nombre d'activités éducatives plus accordées aux besoins, aux valeurs, aux aspirations, bref au « vécu des travailleurs ». Elle insiste particulièrement sur un style d'éducation moins centré sur l'individu, et plus soucieux de la formation sociale et de la création collective.

Une tâche énorme, mais seulement une pratique critique

Ma petite expérience d'éducateur en milieu ouvrier m'a appris tout ce qu'il fallait investir pour développer une pédagogie populaire pertinente et efficace. Je trouve que les experts de la CEQ se limitent encore au même outil critique appliqué à tous les champs humains d'expériences comme s'ils n'avaient aucune identité propre, comme si les hommes, les groupes, les milieux avaient tous le même visage, comme si le travail, l'éducation, l'habitat, les loisirs se réduisaient à une même mécanique de reproduction. On y cherche vainement les éléments positifs propres au monde ouvrier.

La « proposition école » n'est pas à la mesure de l'hypercritique que les auteurs nous répètent des dizaines de fois, même dans ce dossier qui se veut plus positif. De plus, je suis aussi agacé par les généralités livresques qu'ils nous servent sur les valeurs et les besoins propres au monde ouvrier. Mais ne soyons pas injustes. Il s'agit d'un dossier de départ et d'une amorce positive. Que de chemin à faire pour bâtir une véritable pédagogie ouvrière ! Après vingt ans d'expérience, moi aussi, je dois avouer mes terribles limites.

Ah! ces silences révélateurs

Je retiens un passage révélateur qui m'amène à formuler quelques interpellations à mon tour :

« Ainsi l'éducation économique ne sera plus une occasion de domestication du monde, mais plutôt celle du développement de l'esprit critique et celle d'une préparation à l'adoption de formules de production plus humaines qui valorisent davantage le travail et le travailleur. »

Ces formules plus humaines dont il est question se retournent un peu contre ceux qui prétendent les définir et les transmettre. Le syndicalisme enseignant a eu sa part de responsabilité dans la déshumanisation de l'école. C'est même un interdit que de le mentionner dans le milieu syndical lui-même.

Je reste perplexe quand je lis dans un feuillet-mot d'ordre de la CEQ à propos de la consultation autour du Livre vert : « Tout choix parmi les réponses proposées suppose qu'on reconnaît la nécessité d'assouplir les conventions collectives. C'est un piège. »

Nous avions fait certains calculs dans la région chez nous au moment d'une ronde de négociation. Pour rencontrer le ratio et l'horaire réclamés par la CEQ, il aurait fallu bâtir trois nouvelles écoles élémentaires et une nouvelle polyvalente. Nous avions déjà fait face à une baisse de 3 000 élèves et à une augmentation de 25 p. cent des effectifs enseignants. Les nouvelles « formules humaines » de la CEQ sont décidément très dispendieuses. On comprend qu'elle remette sans cesse à plus tard les questions de gestion et de financement (page 54) tout en ajoutant : *« En attendant, il nous faudra réagir en fonction de nos intérêts comme groupe de travailleurs. »* C'est on ne peut plus explicite comme réflexe corporatiste.

Revendications précises, implications vagues

La CEQ est très précise dans les revendications payées par les autres, y compris les travailleurs contribuables (oh ! suprême démagogie), mais elle est très vague dans son appel à une plus grande implication des enseignants. En fine stratège, elle suggère un type d'évaluation qui ne laissera pas grand-prise au point de vue de la population, des gouvernements à différents paliers et des directions comme telles.

Il faut bien avouer, par ailleurs, que les critères administratifs ont souvent pris toute la place au détriment des critères professionnels. Le syndicalisme enseignant a dû emprunter la même logique pour se défendre. Comme il devra sans doute le faire devant la prochaine opération du ministère qui semble s'orienter vers des programmes communs détaillés au point de laisser peu de place à la reconnaissance professionnelle des enseignants. Mais cela est à vérifier, car les jeux ne sont pas faits. Mais déjà on doit dire honnêtement que les enseignants eux-mêmes ont certaines raisons fondées dans leur crainte d'une autre escalade de la bureaucratisation administrative. Il y a des revendications légitimes dans leur stratégie d'évaluation.

Des pratiques syndicales à réviser

Mais au bilan, devant des objectifs pédagogiques et politiques très généreux au service de la classe ouvrière, on est en droit de se demander si plusieurs pratiques syndicales ne devront pas aussi radicalement changer. Or, il n'y a aucune précision en ce sens dans le dossier. On se prend un peu à rêver devant certaines suggestions pour mettre les jeunes en contact « avec la réalité quotidienne des travailleurs ». Qui va faire cela ? Quand ? Comment ? Par trois fois le dossier réclame d'autres aménagements de l'horaire institutionnel et de celui des élèves. Les syndicats locaux, eux aussi, ont joué dur sur la question d'horaire très étroitement comptabilisée. On nous demande encore ici bien de la naïveté. Il en va de même quand on souligne que l'intervention des enseignants devra être plus « polyvalente ». J'ai hâte de voir comment cela va s'inscrire dans la convention collective. Quant à la revendication d'un « nombre d'élèves moins élevé par classe », bien des citoyens se demandent jusqu'où la CEQ veut aller en ce domaine où elle a obtenu des conditions comparables, sinon plus avantageuses, eu égard aux autres systèmes scolaires du continent nord-américain. Nous, professeurs québécois, nous ne pouvons vraiment pas jouer les victimes en ce domaine.

Je connais bien des petits salariés qui tressailliraient (!) en lisant nos conventions collectives, même en matière de sécurité d'emploi. Tel ce salaire assuré durant les périodes de mise en disponibilité. Certes, la baisse de la clientèle scolaire a de fâcheuses conséquences. *Mais exiger des solutions très coûteuses avec le maximum de protection ne sera pas compris par les travailleurs qui paieront la note, sans avoir eux-mêmes le dixième de cette protection.* Une autre chose qu'il ne faut pas dire publiquement. Et pourtant ! Pas plus celle de notre style de vie comme professeurs en regard du style de vie de ceux que la CEQ veut servir.

Nous ne pouvons pas exiger le maximum et défendre en même temps ceux qui n'ont pas le minimum.

J'ose espérer que le prochain Congrès de la CEQ abordera franchement ces questions. Histoire d'être cohérent... d'avoir la pratique de sa politique et de son idéologie. Je suis revenu à la charge parce qu'on glisse si vite sur ces travers pour passer à la critique des autres et à la défense très détaillée de ses intérêts.

Un projet de société à l'image de la CEQ ?

Je viens de relire encore une fois l'ensemble des dossiers de la CEQ, j'y trouve une sorte de fixation intellectuelle dogmatisante et simpliste qui me semble peu propice à la maturation politique et surtout à la mission éducative moderne, surtout dans le contexte d'un jeune pluralisme comme le nôtre.

Peu d'acculturation aussi au milieu d'ici. On pourrait tenir ce langage n'importe où sans changer un mot. Et pourtant les idéologues de la Centrale s'échinent à pourfendre l'idéalisme, l'humanisme universel.

Il y a quelque chose de vraiment mystificateur chez ces « travailleurs » d'un service public, donc de propriété collective, qui pointent le grand drame : la propriété privée des moyens de production. A en juger par le traitement corporatiste qu'ils infligent à l'école publique, le citoyen peut se demander ce qu'ils mettent sous le slogan : un autre projet de société. Celle-ci sera-t-elle à l'image de la CEQ et de son école publique ?

Quand on est aussi loin d'une politique de gauche, il serait un peu plus honnête et plus responsable de ne pas jouer les révolutionnaires avant le temps. Surtout quand on sait comment le monde enseignant dans sa vie et ses pratiques attend surtout de sa Centrale le maximum d'avantages pour lui-même. Peut-être faudrait-il travailler un bon moment sur ce terrain-là avant de donner l'assaut à Wall Street et à Washington !

Trop de contradictions internes se sont accumulées pour se permettre le jeu de l'autruche. La population s'est fait annoncer plusieurs fois, à l'occasion des grèves, un meilleur service. Par exemple, la justification d'une moins lourde charge d'enseignement. Cette population voit ces mêmes professeurs dits surchargés, prendre toute sorte d'autres jobs supplémentaires rémunérés, tels des cours du soir aux adultes. On ne trompe pas le monde indéfiniment par des affirmations comme celle-ci : « La situation réelle des enseignants : travailleurs exploités par le sur-travail, donc sous une forme différente de celle que subit la classe ouvrière, mais exploités quand même. » *(Ecole et lutte de classes au Québec, p. 10.)* Avec une journée sur deux de travail dans l'année (calendrier scolaire, 80 jours), un salaire intéressant, de bonnes conditions de travail, qui va prendre au sérieux l'idéologie prolétarienne de la CEQ ? Cette mystification a trop duré, surtout dans un domaine aussi vital que celui de l'éducation. De là à nier certains problèmes soulevés par la Centrale, ce serait tout aussi grave pour l'avenir de l'école et de la société d'ici. Mais je doute que les solutions viennent des bureaucrates de gauche ou de droite.

Un sens politique douteux

La CEQ qui se pique de « réalisme économique » semble ignorer les terribles choix d'une société comme la nôtre. Il faut investir à la fois dans le développement économique, dans les besoins criants en sécurité sociale et puis en éducation. Or, la Centrale multiplie ses revendications en ignorant les autres requêtes, si on en juge par sa plate-forme récente. Sans une relance vigoureuse de l'industrialisation, nous aurons de plus en plus de chômeurs. Et l'école sera de plus en plus une structure riche, artificielle, enroulée sur elle-même, avec un personnel surprotégé par rapport à la situation de la plupart des ouvriers que la CEQ prétend défendre. Structure riche dans un environnement souvent pauvre. Le refus de participer au dernier sommet économique est révélateur !

On pourrait donc inverser bien des justifications de la CEQ pour les tourner contre elle-même. Le secteur tertiaire n'est-il pas en train de tout siphonner ? L'école n'est-elle pas empêtrée dans sa complexité administrative et syndicale ? On ne nous fera pas croire que les 4 000 griefs sur la table sont le résultat pur et simple de mesures répressives. Plutôt une situation qui ne serait pas « administrable » dans quelque régime que ce soit.

Et dire que les exigences exorbitantes de la CEQ se font au nom du service du prolétariat. Ainsi les professeurs devront avoir des garderies tout de suite, bien avant les milieux populaires qui en ont autrement plus besoin. Et que dire de la sécurité d'emploi absolue, inamovible qui ignore les inégalités régionales et autres, tout cela au nom de l'égalité des chances ! S'agit-il d'accélérer l'accès au collégial, on trouve la requête démocratique au chapitre de la sécurité d'emploi. S'agit-il de revoir les politiques en matière de marginalisation contestable des inadaptés, la grande objection céquiste se ramène à une question de personnel et le « fameux bien de l'enfant » passe dans la *pratique* au second plan.

A la sécurité d'emploi absolue, on ajoute la diminution des heures de travail, du ratio professeur / élèves, peu importe si les autres systèmes d'éducation des Etats les plus riches ne peuvent se permettre de telles conditions. Le Québec doit faire mieux, quoi qu'il en coûte. Et surtout n'allez pas vous interroger sur la question délicate de l'évaluation des professeurs, ça ne devrait regarder que la corporation, même s'il s'agit d'un service public. Une autre contradiction flagrante avec l'idéologie politique de la CEQ.

Toute cette évaluation critique est jugée réactionnaire conservatrice, droitiste et quoi encore. Le progressisme de la CEQ, répétons-le, c'est d'exiger le maximum pour la corporation, et les élèves en profiteront. Un capitaliste ne dirait pas mieux. Certes, on retrouve ailleurs dans le syndicalisme de classes moyennes pareille mystification. Mais en éducation, l'enjeu est trop grave pour céder à une telle imposture.

Non, je n'arrive pas à concilier la plate-forme revendicative de la CEQ et sa prétention idéologique de servir la classe ouvrière !

Conclusions

Voilà donc un cas type qui révèle des pratiques fort répandues dans d'autres secteurs. J'aimerais avoir tort, parce qu'un tel problème grève tragiquement l'avenir du Québec. Un avenir difficile qui exige de tout autres comportements et attitudes. La conjugaison des trois courants libertaires, sécuritaires et néo-corporatistes a de multiples conséquences négatives, par exemple, celles de fausser la perception même des exigences qui accompagnent une volonté politique aussi féconde qu'audacieuse.

En deçà et par-delà certains choix peut-être décisifs dans le tournant actuel, nous ne pouvons pas éviter de nous interroger sur ce que nous sommes prêts à investir de nous-mêmes, à sacrifier (eh oui!) pour assurer un dépassement de long terme, à changer qualitativement dans nos pratiques réelles. C'est surtout la nouvelle classe que je veux interpeller ici. En ce faisant, je me mets moi-même au défi, puisque j'en fais partie. Cet avenir difficile à risquer peut être une aventure passionnante, mais nous ne saurions l'engager sans vaincre cet ensemble d'attitudes et de pratiques qui le contredisent.

Certes, il y a aussi des défis d'ordre structurel. Il nous faut les regarder en face avec le même courage et la même lucidité.

II — Les aspects structurels

1. Une tertiarisation antiéconomique

L'économophobie

La Révolution tranquille a placé l'Etat au centre de notre évolution historique récente. Celui-ci s'est consacré, comme premier responsable, aux objectifs sociaux d'éducation, de santé et de sécurité sociale, mais relativement peu à l'autodéveloppement économique, mises à part certaines initiatives bien connues, telle la nationalisation de l'électricité.

Le processus de centralisation a pris le pas sur les autres, et cela jusque dans un syndicalisme public qui tend à se constituer en un front commun permanent, un peu comme un parlement parallèle. Tout aboutit au gouvernement en principe et en pratique. Même les grèves du secteur privé. Même l'organisation des loisirs à Saint-Tite-des-Caps. Expression ultime d'une pan-politisation bureaucratique. Ironie que cette démocratie progressiste centralisatrice face aux forces « conservatrices » qui réclament une véritable responsabilité locale !

Celles-ci n'acceptent pas que les corps intermédiaires soient jugés d'un autre âge, que des municipalités trop autonomes soient des obstacles à la planification des experts, que toute institution privée relève d'une stratégie capitaliste, qu'on ne puisse rien faire « politiquement » à partir d'une unité locale.

Les jeux politiques actuels sont de plus en plus compliqués, ambigus et contradictoires. Pensons à la lutte des municipalités et des commissions scolaires face à un gouvernement qu'elles accusent de centralisme bureaucratique. Par ailleurs, cette opposition vient souvent de notables qui sont loin de partager les préoccupations sociales et démocratiques du gouvernement. Celui-ci semble vouloir donner un coup de barre vers la démocratie locale, mais son approche demeure technocratique, si on en juge par sa tendance à multiplier les mesures législatives de mille et un contrôles. Voilà donc des ambiguïtés de part et d'autre. Les centrales syndicales du secteur public ne sont pas plus cohérentes quand elles se battent contre la décentralisation et défendent en même temps la démocratie locale !

Mais il y a plus. Je pense ici particulièrement aux initiatives économiques. Prenons, par exemple, le mouvement coopératif. Bien sûr, il ne s'agit pas d'en faire une solution universelle, une panacée. Mais de là à le disqualifier, comme ne menant nulle part... Or, nos socialistes purs et nos capitalistes s'entendent sur ce point. Il n'y a de solution qu'étatique chez les uns, que multinationale chez les autres. Les nouvelles élites et les anciennes se ressemblent étrangement en matière de pouvoir unique et autocratique, de fiction démocratique. En pratique, ils appartiennent à un même univers techno-bureaucratique qui s'impose autant dans la grande corporation privée que dans l'Etat, autant dans l'organisation du marché que dans la planification étatique ou encore dans la stratégie politique des Centrales syndicales. Les experts des mêmes écoles inspirent tous ces « grands », peu importent les divisions idéologiques. Structures de base et intermédiaires pèsent de moins en moins dans la balance des grands stratèges politiques, administratifs et syndicaux, en dépit des discours contraires: telles la volonté politique des travailleurs de base, d'un côté et de l'autre, la revalorisation de la PME, de la propriété privée, du pouvoir local, etc.

Mais, étant donné que la grande entreprise est aux mains de non-francophones, nos leaders de toutes tendances se disputent en fonction de l'Etat et des pouvoirs à ce niveau suprême. Ce n'est plus seulement le levier majeur — ce qui se comprendrait dans notre situation — mais le Léviathan que chacun des grands états-majors veut s'approprier exclusivement.

Un esprit démocrate et progressiste — pour reprendre cette expression reçue — acceptera plus difficilement que les Centrales syndicales se logent à cette enseigne, tout obsédées par l'acquisition du pouvoir déterminant au nom de tous les travailleurs (des professionnels syndiqués aux ouvriers du textile!). Pendant que l'état-major syndical se tient au sommet des jeux étatiques, les syndicats locaux — il ne faut pas le dire — doivent s'en remettre aux expertises, aux stratégies, aux grandes mobilisations téléguidées, et au pouvoir suprême de leur centrale.

Bien sûr, on respecte la copie conforme de la démocratie bureaucratique parfaite avec son code compliqué que seule une minorité de stratèges maîtrise vraiment. Voyez les processus de discussion, de décision et de mise en application. Voyez qui élaborent les conventions collectives, comment on les fabrique. Vous trouverez là comme ailleurs les mêmes rituels techno-bureaucratiques aux mains d'une nouvelle classe qui est d'une homogénéité remarquable, peu importe la diversité conflictuelle des champs idéologiques. Il faut mieux prospecter les appuis structurels de cette nouvelle classe et le type de société qu'elle dirige par les divers appareils, y compris l'appareil syndical.

Nous nous retrouvons donc tous dans une société tertiaire... très très modernisée... postindustrielle. Ah! bien sûr, les usines sont vieillottes (c'est secondaire!), le sol et sous-sol sont aux mains des étrangers (trop primaire!), les centres commerciaux ne nous appartiennent pas (du tertiaire vulgaire!), à nous les grandes réalisations du noble tertiaire public: stade olympique, palais des congrès, campus scolaires luxueux et prestigieux, édifices publics nombreux pour loger notre légion de bureaucrates et de technocrates du bien-être.

Quelques chiffres révélateurs

En 1978, par exemple, les investissements au Québec se logeaient à près de 33 p. cent dans les services d'utilité publique et à 17 p. cent dans les institutions et ministères gouvernementaux, comparativement à 19 p. cent et 13 p. cent en Ontario. Le taux annuel de croissance dans ces deux secteurs, entre 1970 et 1978, était de 25 p. cent et de 10 p. cent au Québec ; en Ontario, de 10 p. cent et 5 p. cent.

Le rattrapage des années 60 était nécessaire. Mais il est devenu une escalade folle dans les années 70. Depuis 1961, le Québec a perdu 73 000 emplois dans le secteur primaire ; et depuis 1973, près de 40 000 emplois dans le secteur secondaire ont disparu. Deux Québécois sur trois travaillent dans les services ; il n'y aurait pas à s'en scandaliser, s'il y avait une forte structure industrielle. Les rares secteurs de pointe sont le fait d'« entreprises étrangères qui exportent une part importante des retombées découlant de leur activité ».

Malgré quelques correctifs timides dans des domaines comme les pâtes et papiers ou l'industrie forestière, on assiste à une grave érosion de la base économique au moment où il faudrait des appuis plus solides, plus diversifiés, plus productifs pour faire face à un défi économique autrement plus complexe et exigeant qu'autrefois. Pensons au raffinement toujours plus poussé de nos politiques sociales par-delà des besoins réels grandissants, tel le vieillissement de la population. Sans compter une entrée plus massive d'une main-d'oeuvre en quête de travail. D'énormes problèmes structurels s'accumulent : retard grandissant en productivité, détérioration continue de notre position concurrentielle (rythme annuel de 2.1 p. cent) ce qui rend très problématique la revendication en soi légitime de la parité de salaire.

Au bilan, nous voulons un standard de vie aussi élevé que celui des régions les plus riches de l'Occident sans en avoir les moyens. Le processus artificiel des emprunts massifs accentue le cercle vicieux, et cela jusque dans notre psychologie collective. *Nous sommes à la revendication ce que nous sommes à la consommation avec la carte de crédit.*

Comme me le disaient des étudiants de maîtrise dans un séminaire interfacultés, l'unique finalité de l'économie, ce sont des services universels et gratuits. La croissance industrielle et technologique serait devenue génératrice de chômage. On devrait donc développer des emplois « communautaires » : protection de l'environnement, services à domicile, etc. Sans avouer qu'ils allaient tous s'embaucher à fort salaire dans l'un ou l'autre de ces services. Ils avaient intériorisé l'esprit de la nouvelle classe engoncée dans sa bonne conscience socialisante... tertiaire... bureaucratique. «Certes, le plein emploi n'est pas possible, mais une société riche comme la nôtre peut offrir en services ce vil métal que des petits salariés exploités devaient gagner à la sueur de leur sang. Il faut démystifier l'idée de chômage humiliant». Evidemment, pour eux, de la nouvelle élite « socialiste », il faut la sécurité d'emploi absolue! De la critique d'une économie capitaliste, industrielle et marchande, ils passent au mépris de l'économie tout court.

Les nouveaux missionnaires de l'Etat socialiste ressemblent étrangement à ceux d'hier qui méprisaient les raisins verts de l'ignoble matérialisme des anglo-protestants. Je suis frappé par cette continuité historique de notre économophobie face à l'industrie et au commerce. Une autre preuve qu'une certaine orientation de la Révolution tranquille a pu faire dévier notre prise de conscience durant les années 50: celle d'une société qui avait à se donner sa propre base socio-économique, tout en se créant une place valable dans les grands circuits internationaux d'échange de biens.

Et nous voilà au tournant des années 80 avec les mêmes problèmes de fond. Si l'on en juge par les études passées et récentes, le Québec ne semble pas avoir marqué le pas au plan proprement économique, malgré les promesses de la Révolution tranquille et des stratégies subséquentes d'autodéveloppement. Evidemment, il y a plusieurs raisons. Je voudrais en évoquer quelques-unes très importantes, mais trop rarement avouées, et cela dans le cadre d'une première hypothèse.

L'écran de la Révolution tranquille

La plupart des lectures du Québec contemporain remontent à la Révolution tranquille, un peu comme si notre histoire moderne avait commencé en 1960. Bain de jouvence après la grande noirceur d'une chrétienté archaïque, souvenir pénible d'un monde passé et dépassé à cacher. Sauf, bien entendu, les barouds d'honneur: 1760, 1835, 1867. Quelques créneaux d'une histoire peu glorieuse ! En un certain sens, la Révolution tranquille devient une sorte d'écran qui bloque notre conscience historique. *Je pense, par exemple, à la période d'après-guerre et des années 50 (1945-1960), qui m'apparaît comme un des grands moments de conscience, nécessaires à la compréhension de ce qui nous arrive aujourd'hui.*

Le duplessisme fut l'aboutissement de la chrétienté cléricale portée à sa limite critique. Il déclencha une opposition qui allait mettre à nu les problèmes les plus cruciaux de notre situation historique. Tel ce divorce croissant entre ce qu'on pourrait appeler un monde paroissiale, villageois, rural, et un monde séculier, urbain, industriel. Le voisinage de la société industrielle la plus avancée rendait cet écart encore plus douloureux et humiliant. Il fallait envisager des réformes radicales. C'est un euphémisme que de parler ici d'une simple idéologie de rattrapage, tellement la conscience d'un changement majeur était vive.

Un transfert religieux peu exploré

Certes, on devait vaincre le duplessisme. Mais après ? Par où et par quoi commencer ? L'Etat. Libéraux, nationalistes et socialisants s'entendaient là-dessus. Toute l'attention se portait sur cette solution universelle conçue comme un sacrement qui efface tout le passé et permet de partir à zéro, de créer *ex nihilo.*

Notez ici le schéma religieux implicite qui tient à la fois de la conversion, de la Promesse, et aussi d'un certain magisme sacramentel.

Le rapprochement peut agacer d'autant plus qu'il s'agissait de liquider, en l'occurrence, un héritage à fondement religieux. Or, un peuple comme un individu doit assumer sa propre expérience. Une terre qui est peut-être moins riche que celle du voisin, mais c'est la sienne. Aucune politique, même la plus audacieuse, la plus radicale, ne peut faire l'économie de cette réalité de base. Je suis de ceux qui, au moment de la Révolution tranquille, ont continué de confronter l'héritage et le projet d'une nouvelle société. Il nous a semblé que vouloir commencer à zéro était un non-sens, et cela même dans une perspective de rupture profonde ou de révolution. Je voudrais montrer comment nous payons cher aujourd'hui cette absence de réalisme historique minimal et de sagesse politique.

Toujours est-il qu'au début des années 60 cette nouvelle effervescence quasi religieuse permettait aux idéologies québécoises naissantes, un néo-nationalisme, un néo-capitalisme et un néo-socialisme, de se disputer autour d'une même idée acceptée globalement : l'Etat, levier de tout le reste.

On raisonnait, on agissait comme si le passé lointain et récent était disparu même des consciences ; comme si la mentalité paroissiale et villageoise n'existait plus, comme si nous étions tous arrivés en ville, comme si le développement économique allait être assuré ipso facto, comme si le fossé profond signalé plus haut pourrait être automatiquement comblé par l'Etat et ses nouveaux appareils.

Exemples de transfert

Comment ne pas s'interroger non seulement sur le caractère magico-religieux d'une telle opération, mais aussi sur l'absence de sagesse historique capable de discerner une économie de changement à la fois originale et complexe ? Il n'y a pas ici de modèle universel, scientifique, infaillible. Mais quand on s'est nourri d'une dogmatique religieuse et d'une certaine religiosité magique, on cherche inconsciemment des substituts. En avons-nous été conscients ? Tel le passage de l'Eglise Providence à l'Etat Providence. Tels l'utilisation magique de la technologie ou son refus comme un tabou religieux. Telle la remontée de vieux réflexes paroissiaux, villageois et corporatistes jusque dans nos institutions les plus modernes et dites « originales » comme les cégeps, par exemple.

Nouvelles cathédrales coûteuses, autarciques, corporatistes. Des mondes en soi, artificiels, qui se décrètent conscience du milieu. Privés ou publics, les cégeps sont des fiefs qui disputent au suzerain gouvernemental un pouvoir unique et quasi absolu. D'ailleurs, cette lutte pour le pouvoir unique se poursuit à l'intérieur de l'institution où administration et syndicat cherchent souvent un pouvoir exclusif de l'autre. Choix entre l'administrateur-concierge et l'enseignant-exécutant ! On est bien loin d'un Etat-levier et d'institutions aptes à bâtir des politiques de développement. Voilà un exemple entre cent.

Remontée du « paroissial », du « clérical », du « corporatiste », du « clocher », puis en même temps marginalisation et remise à plus tard du développement proprement économique. La grande part des fonds est consacrée au monde scolaire et aux politiques sociales. Si vous osez parler ici du déséquilibre, de l'inefficacité, de l'irréalisme liés à un aménagement contestable de ces choix qui ont marginalisé les investissements collectifs proprement économiques (fût-ce dans une perspective socialisante ou socialiste), vous êtes considéré comme un réactionnaire, un capitaliste.

Le mythe étatique de la Révolution tranquille nous a empêchés de comprendre que l'expérience économique comme telle était plus qu'une assiette matérielle, qu'elle était une école de réalisme pour nous habituer à évaluer les coûts de nos réformes, de nos services publics, de nos revendications. Nos administrateurs et nos syndicalistes, massivement dans le secteur public, n'ont eu aucun sens du possible. Des dépenses folles d'un côté et des revendications aussi aberrantes de l'autre.

Rentabilité, productivité, *accountability* seraient, selon plusieurs d'entre nous, des références mesquines et tendancieuses d'un capitalisme démoniaque. Pour se justifier, on évoquera les grandes embardées de l'Expo, des olympiques, etc., tout en ne se rendant pas compte que ses propres revendications sans limites font partie de la même mentalité mythique et antiéconomique. De toute part, on trait la vache sacrée de la Révolution tranquille : l'Etat. Dans les milieux radicaux, la contradiction est encore plus accusée. Ceux-ci dénoncent l'Etat exploiteur tout en l'exploitant au maximum, au profit d'une nouvelle classe déjà surprotégée syndicalement, et cela au nom de la promotion collective des travailleurs ! Une certaine rhétorique religieuse s'est transmuée laïquement. Son apparente modernité est d'autant plus trompeuse !

Actifs et passifs

Nous voilà donc en 1980 parfois aussi paroissiaux, aussi peu économiques qu'en 1950. Et pourtant, durant la décennie 50, nous avions pris conscience de ces deux problèmes majeurs.

Les gouvernements d'aujourd'hui doivent aborder de front une situation économique québécoise très mal en point. Certes, il y a un tas de raisons. Dans tout cela, nous ignorons davantage celles qui viennent de nous-mêmes. La majorité des gens, et surtout la nouvelle classe des promus de la Révolution tranquille, continuent d'exiger services sur services étatiques, au grand dam des investissements économiques nécessaires.

Je ne veux pas ignorer certains progrès acquis par l'admirable créativité culturelle, par l'éducation, par le syndicalisme, par certaines politiques sociales, par une nouvelle conscience politique, par la maîtrise de certaines technologies modernes. Je ne veux pas non plus jouer l'éteignoir d'une mentalité coloniale défaitiste, fataliste, antipolitique. 1960 et 1976 marquent des sauts qualitatifs. Nous acceptons enfin de forcer un peu notre destin, d'envisager certains risques historiques. Luttes courageuses et aspirations dynamiques se nouent parfois d'une façon prometteuse pour l'avenir.

Mais nous n'y gagnons pas à refuser de regarder bien en face certains passifs qui ont des conséquences énormes. Nous sommes en train de développer des travers qui compromettent gravement les premiers acquis, ou plutôt les premières bases de relance que nous avons « coûteusement » construites avec un certain enthousiasme, mais aussi avec des emprunts financiers massifs à l'étranger. En ce sens, nous nous sommes donné une prospérité artificielle trop rarement avouée.

Quand la revendication se substitue à la création collective

Voyez les plaidoyers et surtout les exigences revendicatives (de la nouvelle classe) qui atteignent l'incroyable quand on en additionne les coûts réels. Si vous mettez ensemble les requêtes de la CEQ et celles des experts dits radicaux en éducation, presque tout le budget de l'Etat va y passer. Or notre budget en ce domaine est déjà comparable aux sociétés les plus riches. Pourtant notre nouvelle classe le trouve réactionnaire et conservateur, même s'il a augmenté de 15 p. cent par année, et cela après la phase de construction où il était normal d'investir massivement. Qu'on songe maintenant à plus d'investissements directement économiques, précisément pour ne pas tomber dans l'ornière de chômeurs instruits, les pseudo-socialisants parlent de contre-réforme en éducation. C'est aberrant !

Même phénomène au plan des politiques sociales, peu importe si l'augmentation annuelle est elle aussi de 15 p. cent. Les requêtes de la nouvelle classe qui, en passant, profite plus que toute autre de ces politiques sans jamais l'avouer, absorberaient à leur tour tout le budget de l'Etat. Fi des investissements économiques pour créer une assiette matérielle capable de supporter de telles dépenses tertiaires. *Rappelons que le recours à une idéologie populiste sert avant tout au bien-être et au pouvoir de cette nouvelle classe qui siphonne en salaires et en avantages de toutes sortes les budgets en éducation et en affaires sociales, sans souffrir du tout d'une économie dégradée comme c'est le cas chez les petits salariés et les chômeurs.*

Additionnez en plus les revendications de tous les autres secteurs de la fonction publique, avec leurs exigences maximales en matière d'heures de travail, de fonds de pension, d'avantages sociaux et de salaires. Des systèmes de protection parfois inégalés dans les sociétés occidentales les plus riches.

De plus , comment ne pas tenir compte de certaines spécificités du secteur public? Par exemple, le gouvernement élu qui doit répondre en définitive de l'administration de l'Etat et de ses services ne peut se lier les mains par un régime de travail où les fonctionnaires non élus se constituent une sorte de pouvoir parallèle capable de neutraliser les décisions et les contrôles proprement politiques. Il serait ridicule, comme c'est souvent le cas dans notre univers idéologique manichéen, de laisser croire que les fonctionnaires seront réduits au statut d'exécutants, s'ils n'ont pas toutes les règles du jeu en main, par exemple, en matière de sélection, de classification et de promotion. Cette psychologie du tout ou rien, ou même du pouvoir unique, a peut-être encore ici un fond crypto-religieux et clérical. A ce compte-là, une certaine logique syndicale nous amènerait à une situation ridicule: des gouvernants élus réduits au statut de caporaux de service, de relationnistes publics pour expliquer aux gens ce qu'une bureaucratie inamovible, intouchable et omnipotente a déciidé. Imaginez en pareil cas un régime socialiste pan-public! On en verrait de belles. Voilà l'aboutissant contradictoire de revendications faites au nom de la démocratie, qui poursuivent unelogique aux effets les plus antidémocratiques.

Un mandarinat cancérigène

Et voilà pour la nouvelle classe administrative et syndicale, tout au service du peuple québécois, de sa libération et de son affirmation collectives, mais aussi en train de renforcer un mandarinat incroyable. Les divisions idéologiques de celui-ci ne doivent pas nous leurrer, elles occultent une communauté souterraine d'intérêts. Je ne veux nier en rien ce qu'il y a de compétence dans cette catégorie des promus de la Révolution tranquille. Mais ne faut-il pas avouer que souvent les « compétents » et les « travaillants » sont découragés par le jeu étouffant de luttes syndicales-administratives artificielles et paralysantes, sans proportion avec les requêtes vitales d'institutions publiques efficaces, vraiment au service de la population. Pendant que des stratèges de droite et de gauche tripatouillent politiquement à longueur de journée, une petite poignée d'hommes et de femmes consciencieux, en plusieurs milieux, se « désâment » pour assurer la marche minimale des services. Je l'ai constaté tant de fois: le vrai clivage dans bien des institutions se situe entre ceux qui politicaillent et ceux qui travaillent. On n'en fait jamais état dans les discours idéologiques d'un bord et de l'autre.

Mais en deçà de cette quasi tragédie-comédie, je veux signaler le gigantesque mal chronique qui apparaît dans l'analyse d'une tertiarisation presque cancérigène où se logent massivement les promus. Ce qui n'aide pas à voir clair dans le jeu social sous-jacent au jeu idéologique. On commence à peine à objectiver une pareille situation marquée par des schémas simplistes et dichotomiques: bourgeoisie-peuple, patronat-syndicat, Ottawa-Québec, riches-pauvres, etc.

Quand il faut ajouter à cela les nombreuses nouveautés plus ou moins mythologiques : de la société postindustrielle à la civilisation des loisirs, du chômage créateur à l'éco-utopie, de l'autogestion-panacée au grand soir marxiste, on aboutit à un fort coefficient de décrochage du réel. Mais que diable ! n'y a-t-il pas là une sorte de luxe qui trouve une complicité inacceptable dans une nouvelle classe faussement prospère et mal préparée à l'urgence de courageux et judicieux chantiers collectifs ?

Et dire que ces nouveaux promus se moquent des créditistes et de leur « machine à monnaie ». Surtout, il ne faut pas suggérer un style de vie plus modeste, certains sacrifices pour investir économiquement dans l'avenir. Tous les coûts sont reportés sur le gouvernement. Peu importe si les Québécois sont déjà les plus taxés. Nous sommes dans une situation où tout discernement socio-économique est impossible. Quand des jobs « ben ordinaires » de fonctionnaires, de policiers vont chercher 25 à 30 000 dollars par année, qui acceptera de se contenter de moins, s'il a syndicalement le même pouvoir de pression? La plupart des catégories de travailleurs sont en droit d'exiger autant, puisque leur travail est aussi important, parfois aussi dangereux (!). Après tout, tout le monde fait face à la même inflation. Mais personne ne veut payer la note. Peu importe si dans ce jeu d'indexation les transferts avantageux se font au profit des grosses corporations financières, syndicales et professionnelles.

Pendant que des promus de droite et de gauche se disputent le gâteau public à leur avantage, le secteur privé de l'industrie et du commerce est aux mains de non-francophones, et soutenu par une masse de petits salariés qui doivent, en plus, payer de lourdes taxes pour financer un secteur public financièrement mangé par les appétits voraces des nouvelles élites tertiaires bardées de privilèges.

Autre miroir aux alouettes

Voyez experts, politiciens et syndicalistes réclamer enquête sur enquête pour diagnostiquer ce nouveau cliché : un malaise « profond » (qu'on n'ose appeler un malaise artificiel et piégé) ; pour trouver de nouveaux mécanismes de négociations publiques (le rituel de négociation du dernier front commun a coûté $25 millions !).

Eh oui, dit-on, il faudrait re-re-re-définir les structures de l'entreprise privée et publique, les modes de propriété, le régime syndical. On ne saurait confier cela au patronat, au syndicat. C'est une responsabilité gouvernementale. Mais attention ! la Xe commission d'enquête, créée par le gouvernement, devra être indépendante de celui-ci. Et voilà la tertiarisation à la Xe puissance, au suprême palier divino-magique de plus en plus éloigné des terrains où on n'a pas appris à résoudre ses propres problèmes, à assumer et à répondre de ses responsabilités, à estimer les coûts des budgets administratifs ou des revendications syndicales en rapport avec les possibilités économiques de la collectivité, de l'institution concernée et de l'Etat payeur.

Problèmes et solutions sont siphonnés vers le haut : l'Etat, les états-majors en lutte, les grands bureaux d'étude, les vastes commissions d'enquête. *Nous nous jouons la comédie.* Nous multiplions les médiations sophistiquées pour reculer les échéances, maquiller les problèmes concrets, nier les vrais culs-de-sac. Nous n'osons aborder de front des attitudes et des comportements quotidiens autrement plus révélateurs que les temps d'arrêt et de conflit, soumis aux joutes idéologiques et politiques au point de faire oublier le terrain même sur lequel on est, les activités concernées, les finalités propres de ces activités.

Qu'est-ce qu'un bon journal, une école excellente, un hôpital humain et efficace ? Non, toutes les énergies se portent sur d'autres questions, importantes mais exclusives du reste : qui aura le pouvoir décisif ? quelle convention collective ? quelle loi gouvernementale régira les conflits ? Pis encore, tout se passe comme si on ne pensait plus qu'en fonction du temps d'arrêt et de l'épreuve de force provisoire qu'est la grève. Solution pour les moments où ça ne fonctionne pas, comme si celle-ci réglait les problèmes de l'activité courante des institutions. La guerre comme unique recours. Une guerre à civiliser, à humaniser, à mieux organiser! Cette psychologie exclusive ne peut qu'engendrer la guerre permanente dans des institutions qui ne peuvent se le permettre au risque d'une dégradation humaine inacceptable dans un service public.

J'ai essayé de revoir les scénarios des conflits publics, des enquêtes suscitées, des mécanismes de solution. Scénarios quasi identiques, standards. Qu'il s'agisse de l'éducation ou des affaires sociales, des ouvriers de la construction ou des policiers, des media ou des services municipaux.

Comme fond de scène, un monde tertiaire public qui prolifère comme un cancer. Un monde inversé où la vie est en fonction des structures, l'usager en fonction du personnel, l'activité du service en fonction de la convention collective, les objectifs en fonction des techniques, la base en fonction de l'état-major... et non l'inverse. On a perdu de vue le fait que le service public est un moyen, et non une entité qui se définit à partir d'elle-même. Une instance qui doit aider le corps social, la base humaine, le milieu à se prendre en main, à avoir les conditions nécessaires à la réalisation de projets individuels et de chantiers collectifs. On comprend ici pourquoi la Révolution tranquille qui a développé cette tertiarisation inversée est devenue une sorte d'écran pour saisir et transformer notre situation réelle. Après vingt ans, nous sommes tous rendus au gouvernement, tous dépendants d'un Etat artificiellement constitué au-dessus des collectivités et des milieux.

La menace de disparition des commissions scolaires est un bel exemple. Le gouvernement voulait leur enlever le 22 p. cent de prélèvement de fonds locaux et régionaux qui leur restait, comme prise concrète de responsabilité. C'est par ce biais que subsistait un jeu local de responsabilités démocratiques entre citoyens et commissaires. On leur demandait d'administrer des normes, d'ailleurs souvent établies en dehors d'elles, au niveau des grands états-majors syndicaux et gouvernementaux. Voilà la deuxième foulée de la Révolution tranquille au dire du ministre de l'Education ! Heureusement, il a changé d'avis.

Un faux progressisme

Tout cela est le summum de la modernité, du progressisme, de l'autodéveloppement, de la planification moderne. La nouvelle classe politique, technocratique, syndicale, peu importe ses oppositions idéologiques, est à l'avant-garde ! Pas question de la remettre en cause, pas question de réviser l'orientation globale prise depuis 1960. S'y prêter serait retourner automatiquement au temps de la chrétienté, du duplessisme et du capitalisme sauvage. C'est l'un ou l'autre. Même les radicaux qui s'en prennent au système actuel, le renforcent de mille et une façons dans leurs revendications concrètes. Eux aussi marchent à l'envers.

Bien sûr, il y a un malaise profond, comme le répètent experts, politiciens et citoyens. Mais on ne cesse de le loger en dehors des hommes eux-mêmes, de leurs vrais comportements, plutôt dans la « structure en soi ». Marque de commerce d'une psychologie tertiaire, d'une mentalité de fonctionnaire qui se perçoit uniquement comme une courroie de transmission de la machine, sans autre responsabilité.

L'étatisation massive de la Révolution tranquille a accusé davantage notre tendance à faire de la politique notre grande industrie nationale. A gauche comme à droite, tout est politique. Cette attitude est aussi fausse que celle des pragmatiques libéralistes qui proclament : « Tout est économique .» Or l'histoire nous enseigne les pièges énormes du système unique et englobant : que ce soit l'Eglise ou l'Etat, l'économique ou le social, la morale ou la science, la technique ou l'idéologie, l'administration ou le syndicat. J'ai voulu attirer ici l'attention sur une tertiarisation qui fait office de structure englobante, prenant toute la place et mobilisant toutes les énergies. Une structure englobante aux mains d'une nouvelle classe. Une structure englobante congestionnée, de plus en plus inefficace et incapable de se distancer pour s'évaluer.

Certes, nous ne sommes pas les seuls à connaître un tel problème. Mais cette tertiarisation publique a été chez nous un substitut artificiel plutôt qu'un moyen au service d'une base humaine et socio-économique, dynamique et juste. Il est temps de ramener la tertiarisation publique à son statut de moyen, sinon à de plus justes dimensions, pour investir dans un développement socio-économique juste et dynamique, sans pour cela tomber aveuglément dans l'ornière de la révolte californienne.

Leçons historiques des communautés religieuses

Je voudrais signaler ici un dernier aspect qui me semble traité superficiellement par nos socialistes purs, à savoir le primat du collectif, la propriété publique, l'Etat responsable de tout.

L'histoire passée et présente des communautés religieuses est chargée de leçons concrètes et bien d'ici, en matière de solutions collectives. Ces communautés ont été créatrices de richesses collectives de tous ordres. Elles ont vécu de belles et fécondes solidarités. Mais ce qu'on oublie, ce sont les contraintes individuelles qui accompagnaient cette dynamique collective, en plus d'une mystique commune elle aussi très exigeante. Or une certaine révolution culturelle très « individualiste » conjuguée à la prospérité artificielle de la Révolution tranquille ont sapé cette force communautaire, entre autres raisons. Voilà un grand nombre de religieux, jusqu'ici très motivés, qui optent pour un projet individuel et séculier.

Or, les socialistes purs veulent nous faire croire que la majorité des travailleurs, *supposément* soulevés par une mystique socialiste, dégagés de leurs intérêts privés, et absents d'une révolution culturelle centrée sur l'individu, vont suivre des idéologues qui n'ont souvent eux-mêmes aucune *vie* communautaire, aucune expérience éprouvée de ce fameux style collectif et public qu'ils présentent comme la solution. Jamais, je n'ai entendu un discours aussi loin du pays réel. Ça bat les clercs les plus aliénés d'hier et d'aujourd'hui.

Déjà, les comportements de la majorité des citoyens face à l'Etat nous alertent drôlement sur un éventuel pan-étatisme dit socialiste. Déjà, nous devrions savoir ce qu'il faut de motivation, d'ascèse individuelle, de désintéressement, de sens social, pour ne pas abuser des services publics et de l'Etat. Un tel esprit pratiqué sur une base quotidienne et permanente ne peut se créer automatiquement par un « changement de structures ». Ce nouveau mythe est aussi utopique que celui de la « seule conversion des coeurs ». Au fond, les deux se ressemblent. Le cléricalisme romain en témoigne. Et un certain socialisme de purs aussi. Aussi longtemps que la gauche d'ici ne consentira pas à regarder ses pratiques réelles, ses vrais styles de vie, elle tiendra un discours aussi mythique.

En terminant cette étape, je suis bien conscient d'avoir laissé pour compte bien des questions brûlantes. Par exemple, les débats actuels sur les politiques néo-keynésiennes ou contraires. Certains économistes soutiennent que les interventions étatiques en matière de fiscalité, de dépenses publiques, de crédit, de taux d'intérêt sont inefficaces et même perturbatrices. Quelques-uns prétendent même qu'on devrait se débarrasser de ce qu'on appelle les « politiques » économiques. Je ne veux pas entrer dans ce débat compliqué où là aussi les polarisations vont se durcir de plus en plus. Raison de plus pour le suivre de près, en espérant que les citoyens pourront y comprendre quelque chose ! L'enjeu est trop important pour que le public et les hommes politiques soient à la merci de telles expertises.

Le procès de l'Etat bureaucratique est intenté par des groupes idéologiques de tous horizons. Mais n'y a-t-il pas un danger de le considérer comme un mal absolu après l'avoir idolâtré en certains milieux ? Face aux impérialismes contemporains, les Etats sont peut-être une des rares forces de résistance et d'initiatives sociétaires. Voilà une autre question. Ce qu'il y a de sûr, c'est la nécessité d'une révision et d'une redéfinition des rôles de l'Etat. Trop de contradictions se sont accumulées pour continuer dans le sillage actuel. Mais ces contradictions, comme nous l'avons vu, ne logent pas toutes au gouvernement. Comment, par exemple, assurer une certaine péréquation et une promotion des plus faibles sans une part de centralisation ?

Note 1

Je voudrais rappeler ici quelques pages que j'ai écrites naguère sur le phénomène tertiaire chez nous et ailleurs. Elles me semblent encore plus actuelles.

Economistes, sociologues ou statisticiens ne s'entendent pas sur l'analyse interne du tertiaire. Et l'ajout d'un secteur quaternaire n'aide pas à la clarification. Poids économique et social de chacune des catégories ? Nombre, nature et revenu des emplois ? Nouveaux types de producteurs et de production ? Rapports avec le développement économique général, avec les structures régionales, avec les circuits internationaux et l'Etat-nation, avec les divers contextes culturels et historiques ? Quelle est ici l'influence des idéologies, des systèmes de croyances ? Y a-t-il une typologie des économies tertiaires ? Que penser de cette nouvelle culture urbaine occidentale où le même homme passe quotidiennement d'une activité à l'autre : bureau, atelier de bricolage, jardin... du centre-ville à la montagne ou à la campagne ?

Nous accumulons les questions pour bien marquer la complexité de ces transformations profondes. Les vicissitudes du tertiaire rythment les crises sociales et culturelles. Etat, mégalopolis, media, arts, éducation permanente, bureaux d'études, politiques sociales, tourisme, centres commerciaux, autant de lieux privilégiés de ce développement chaotique en surboom. Avouons que les stratégies politiques actuelles sont bien impuissantes devant cette explosion quantitative, cette implosion concentrationnaire et cette displosion hétérogène des activités tertiaires.

R. Livet dégage quatre types de tertiaire dans le monde actuel : le capitaliste, le socialiste, le féodal et le sous-développé. La description de chacun nous a amenés à constater jusqu'à quel point le Québec contemporain vit des expériences qui recoupent l'un ou l'autre des types de tertiaire, et cela sans figure d'ensemble indentifiable. Faut-il se consoler du fait que le défi n'a été relevé nulle part dans le monde ? Evidemment, comme le suggère

Livet, le problème est jeune et complexe. Mais je suis impressionné par l'hybridisme polymorphe de notre propre secteur tertiaire québécois.

1. D'abord *un vieux fond corporatiste, féodal, paroissial et clérical* qui s'est progressivement réintroduit dans notre secteur modernisé. Voyez le jeu de clans, de règles secrètes, de querelles villageoises, de patronage dans des institutions ultramodernes comme Radio-Canada, l'Hydro-Québec, et tant de services publics. Voyez ce qui se passe dans la plupart des CLSC dits populaires. Voyez comment la « chose publique » est traitée, débattue, utilisée, revendiquée avec une mentalité de fabrique. Voyez comment des administrateurs, des chefs syndicaux agissent à la manière des curés de chrétienté, des chefs de clan. Comme si le fait d'être dans des institutions modernes, publiques, laïques, officiellement démocratiques nous prémunissait ipso facto d'un monde que la Révolution tranquille toute récente aurait renvoyé à l'âge lointain du moyen âge. 1960 deviendra-t-il l'équivalent du mythe (moins tranquille) de Mai 68 chez les Français? Nos grands définiteurs formés à Paris, à Harvard ou au London School gagneraient à maîtriser des instruments d'analyse autochtones, comme celui du modèle paroissial sous-jacent à ce monde éminemment « clérical » de notre tertiaire public.

2. Un tertiaire de sous-développés aussi. Chez bien des Québécois, il y a un braconnier, tireur de ficelles, plus ou moins roublard à bon compte, méfiant face aux lois, aux règles du jeu et aux institutions, capable de tirer parti des situations sans trop compromettre sa liberté sécuritaire. Un je-ne-sais-quoi de primitif, de sauvage qui se mêle à la prolétarisation industrielle et urbaine. Portion congrue, aussi, de la parenté, du patroneux, du « chef ». Le Québec a sa culture de pauvreté et de chômage, d'assistés et de clients plébéiens, sa petite bourgeoisie indigène prête à tous les compromis avec les pouvoirs étrangers. Enclave coloniale au flanc du plus prestigieux impérialisme de l'histoire. Call-girl d'un moment... pour ses richesses naturelles! Baudruche encombrante dans le pot mélangeur, niveleur et raciste de l'Amérique. Comment dédouaner une libération et un développement sur un terrain envahi, sans frontières, sans cesse court-circuité et

miné par tant d'intérêts étrangers exploiteurs? Tout a l'apparence d'une liberté qui nous condamne. Mais oui, nous n'aurions pas su nous promouvoir nous-mêmes dans ce paradis du monde libre.

3. Tertiaire surdéveloppé aussi. Il suit la mouvance nord-américaine et dépasse le cap du 60 p. cent. Forte consommation; multiplication des cols blancs; scolarisation intense. Tout le kit du quaternaire: technologie, informatique, administration programmée. Culture postindustrielle. Montréal avec ses grands projets se veut un tertiaire avancé... haut lieu des expositions, des loisirs, du tourisme, des congrès internationaux. Québec se cherche une vocation de ville étatique à la démesure d'une techno-bureaucratie ultra-moderne. La télévision communautaire régionale serait le grand carrefour de la nouvelle société! La baie de James nous mènerait aux avant-postes de l'économie future de l'énergie et de la communication. Nous deviendrions de plus en plus rentables sur le marché des grands investisseurs de la finance internationale. Il suffit d'un peu d'intelligence libérale pour harnacher cette grande promesse de surboom. Même nos contestations de l'école, de l'hôpital, de l'Etat, du « système » appartiennent à la culture postindustrielle!

4. Enfin un tertiaire « socialisant », véhiculé par des minorités qui favorisent les distributions et les contrôles collectifs, tout en rejetant l'initiative individuelle et privée comme l'expression du capitalisme lui-même. Chez certains, la classe ouvrière devient l'archétype du processus révolutionnaire pour instaurer un certain collectivisme de démocratie directe. On ne s'embarrasse pas ici des complexités de la société nord-américaine avec ses classes moyennes et sa majorité de cols blancs. Il n'y a, à vrai dire, que la bourgeoisie et le prolétariat. On se méfie du capitalisme d'Etat, de la social-démocratie trop technocratique. Il faut un parti prolétarien au service de l'archétype. En deçà de ces positions extrêmes, court toute une gamme de positions sociales et politiques qui empruntent à l'idéologie socialiste. C'est le cas de ceux qui veulent accorder à l'Etat un rôle central pour le développement économique, culturel et politique. Par-delà l'archétype ouvrier, le tertiaire est considéré ici comme le lieu principal d'élaboration

d'un projet de société d'inspiration différente du capitalisme. C'est dans ce secteur que pourraient commencer certaines formes d'autogestion.

Cette typologie appliquée au Québec reste sommaire. Mais elle exprime bien l'éclatement actuel de cette société qui se regarde elle-même dans un miroir brisé. Nous n'avons pas parlé en vain d'un hybridisme multiforme. Par ailleurs, le Québec n'est pas la seule société à se débattre avec un étrange tertiaire. Celui-ci manifeste une plasticité inattendue, une sorte d'autorégulation et une capacité énorme de renouvellement, de créativité et de développement. Mais l'ambivalence demeure, puisqu'en même temps on constate des engorgements, des culs-de-sac, des hypertrophies et des déséquilibres inquiétants. Chez nous, ceux-ci semblent prendre le dessus.

Note 2

Comme profil général de la Révolution tranquille et de ses suites, il est évident que l'Etat-pourvoyeur de services a pris le dessus sur l'Etat-moteur d'autodéveloppement au point d'occuper presque toute la place. Les diverses requêtes de la population ont été en ce sens, et partant les réponses.

Trois conséquences apparaissent au bout de la ligne :

1. Une dépendance toujours plus poussée face à l'Etat et au capital étranger.

2. Une rigidité bureaucratique croissante sur tous terrains: législatif, administratif, syndical et professionnel. Tout le contraire d'un contexte d'action souple, responsable, inventif.

3. Une hausse disproportionnée du prix des ressources humaines par des politiques de salaire et de sécurité (pour la nouvelle classe) qui font du Québec la société la plus dispendieuse, la moins attirante pour ceux qui veulent investir du dedans ou du dehors. Car à ces politiques correspond forcément une plus lourde fiscalité.

Arrêtons-nous un moment à la question de nos épargnes. Il est vrai qu'elles ont été exportées au moment où nous importions du capital étranger. Selon certains progressistes, il suffirait de garder nos épargnes chez nous et naîtrait ainsi automatiquement une dynamique d'investissement et d'autodéveloppement. Or, on sait bien que celle-ci exige une volonté de risque, une efficacité de l'agir ensemble, une qualité reconnue du *know how* et de la gestion, une concertation des forces. Est-ce bien le cas? Dans nos propres institutions, le rapport conflictuel fait foi de tout. Et les promus veulent le plus haut standard de vie sans risque, sans investissement de leur part.

La visée première de la Révolution tranquille est donc complètement inversée. Pire encore, certains travers de dépendance, de sécurisme ont été décuplés par les promesses d'un Etat Providence qui n'a cessé d'élargir le champ de sa présence et de son intervention.

Face au capitalisme privé, les progressistes se tournent vers l'Etat et poursuivent des revendications qui développent chez les citoyens exactement le contraire d'une volonté de libération, de risque, d'entreprise collective.

2. Carcan ou outil de libération

Y aurait-il chez nous un peu de ce qui a été dit du « mal français »? Je ne veux pas céder ici à un rapprochement facile; d'ailleurs, le chapitre précédent nous a invités à bien garder en vue notre contexte historique particulier. Je retiens plutôt une certaine ligne d'interpellation qui interroge de l'intérieur le mal québécois tout autant que l'indéniable force historique qui s'affirme en nous.

A titre d'amorce, j'ai le goût de signaler le fait brutal de l'inefficacité trop fréquente de nos organisations, et aussi la pauvreté de notre discipline collective... et personnelle. Nous ne manquons pas de talent, de générosité, de chaleur et d'intelligence, loin de là. Nous sommes capables de luttes solidaires et loyales. C'est plutôt au chapitre des démarches constructives que nous marquons le pas, surtout dans des entreprises qui exigent des efforts soutenus, des investissements à long terme.

Complexe colonial? Des Américains, nous aurions pris les habitudes de consommation et non l'esprit d'entrepreneurship. Je sais que de telles remarques nous blessent, nous humilient. D'aucuns y voient un certain mépris, alors qu'il faudrait y voir la crudité d'une situation difficile comme celle des petits peuples entourés de voisins puissants. Un énorme coup de barre est à donner si nous voulons faire notre propre avenir; et ce ne sera pas uniquement par des réarrangements politiques ou structurels, fussent-ils radicaux. Pour nous en convaincre, nous allons revoir ensemble nos attitudes et comportements face aux structures qui dépendent davantage de nous. Je voudrais ici faire de l'organisation du travail un test de vérité. Il s'agit bien entendu de l'organisation existante, et plus particulièrement du divorce entre l'organisation codifiée et l'organisation vécue quotidiennement. L'évolution du Code du travail servira de filon conducteur. J'ai choisi ce terrain parce qu'il permet de suivre un cheminement complet du milieu de vie jusqu'aux structures politiques, et vice versa, en passant par tous les encadrements intermédiaires et les jeux de force en présence. Voyons d'abord la complexité de nos débats autour du Code du travail.

I — La toile de fond

Diagnostics à la douzaine

1—Le syndicalisme est en train de retrouver ses origines: à savoir des combats qui ont dû se déployer dans l'*illégalité*.

2—A l'autre extrême, on ne voit que la loi comme *seul recours* pour ramener un certain ordre. Seul appui décisif, indiscutable. Sinon, c'est l'anarchie.

3—D'autres esprits plus nuancés, mais aussi pessimistes pointent le caractère hybride et contradictoire d'un système qui tente de résoudre par compromis *deux idéologies radicalement opposées.* Par exemple, le droit absolu de gérance, d'une part, et d'autre part le pouvoir aux travailleurs, version particulière du combat historique entre le capitalisme et le socialisme.

4—Certains, dans une perspective socio-démocrate, en appellent plutôt à un nouveau *contrat* social qui dépasse un compromis libéral inopérant, et qui redéfinit dans une autre problématique les rapports conflictuels des parties en présence, certains consensus possibles, des règles du jeu et des aménagements sans lesquels toutes les parties vont y perdre.

5—Quelques-uns plaident plutôt pour un pragmatisme plus pertinent et cohérent. Ils signalent, par exemple, des contradictions à surmonter. Tel le droit à la grève dans les services publics, nié en fait par des pratiques gouvernementales qui matent ce droit au départ de son exercice avec des lois d'urgence.

6—Une opinion publique où 80 p. cent des citoyens estiment qu'on devrait enlever le droit de grève dans les services essentiels. C'est ce que laisse entendre un sondage récent. Voilà une population qui demande aux gouvernements, à la magistrature, aux policiers de jouer plus dur. On assiste à une sorte de durcissement face aux grèves, face au contrôle de la vie collective. Pensons au peu de retentissement du scandale de la GRC, à la peine de mort, à la censure, etc.

7—Par ailleurs, cette même population multiplie la liste des droits à l'infini, réclame une liberté totale, renvoie les responsabilités aux gouvernements, cultive le *no risk* et le *no fault*. D'où cet étrange mélange à la fois sécuritaire et libertaire, ce maximum de sécurité et de liberté que la loi devrait assurer.

8—D'aucuns s'inquiètent de l'érosion de la loi comme autorité morale. D'une part, un monde financier bien équipé pour contourner la loi impunément (on l'a vu dans ces procès interminables et sans conséquences graves pour les fraudeurs). D'autre part, un monde syndical qui, lui aussi, obtient systématiquement le *no fault* après certains grabuges à l'occasion des grèves. Par ailleurs, quelle autorité morale peut bien avoir la loi, quand les processus comme l'injonction viennent enlever toute efficacité à la moindre pression du syndicat, quand les porte-parole de celui-ci disent cyniquement: « Nous avons notre propre code de travail »?

9—Des esprits plus prospectifs pensent qu'il s'agit surtout d'un tournant difficile vers une mutation profonde des rôles historiques de la loi. Celle-ci, après avoir été tour à tour un lieu de domination arbitraire, puis une expression de l'ordre, et plus récemment un lieu contractuel de transactions sociales, devient davantage un instrument de libération. Telle la percée des droits de l'homme en regard des codes traditionnels, telle surtout la montée d'un syndicalisme qui, par ses luttes, a obtenu des changements juridiques ou autres dans une foule de domaines bien au-delà du terrain du travail.

10—Des esprits plus critiques rappellent les caractères paradoxaux de la loi dans l'évolution historique récente.

Ainsi la loi devrait refléter les mentalités, la culture du temps, le contexte historique où elle s'inscrit; par ailleurs, on lui assigne le rôle de changer l'ordre des choses, de prendre les devants.

Elle devrait être minimale chez les uns, maximale chez les autres. Minimale chez les libertaires, maximale chez les sécuritaires et les totalitaires.

Elle devrait assurer la stabilité, initier des réformes et permettre des actes révolutionnaires.

Elle devrait mater les syndicats et laisser entière liberté à l'entreprise privée ou vice versa.

11—Ces rôles paradoxaux et souvent contradictoires qu'on assigne aux lois de travail comme aux autres lois recoupent des choix mal élucidés. Dans le contexte nord-américain, la tendance majeure a été de confier à la négociation ce que plusieurs pays européens ont déterminé par législation. Assistons-nous au Canada, et plus particulièrement au Québec, à un certain revirement? Y a-t-il dans ce phénomène le résultat d'un style de relations de travail où l'on négocie de moins en moins pour laisser place à une stratégie de crise provoquée, de guerre totale, de *Mexican stand by* à la manière des *Westerns?* Est-ce que, de part et d'autre, les forces en lutte ne provoquent pas des réponses légales autoritaires, tout en plaidoyant pour des négociations libres? D'où l'émergence selon certains observateurs, d'une droite et d'une gauche aussi autocratique et légaliste l'une que l'autre.

12—Enfin, quelques-uns voient plutôt ici le cheminement vers la confrontation de projets de société encore mal dessinés, à travers de jeunes débats idéologiques tâtonnants, erratiques, encore pleins de contradictions, mais en quête de cohérence. Or, ce serait précisément à travers l'instance juridique que les forces dites progressistes tenteraient de définir leur politique et d'élargir leurs appuis, leurs combats et leurs conquêtes. Telle l'expansion de l'assiette des droits acquis ou à faire reconnaître.

Les leçons de l'histoire

Ainsi la loi, ce haut lieu de civilisation, n'a donc pas la logique qu'on voudrait lui donner. Comme toute autre réalité humaine, d'ailleurs. Tout au long de l'histoire occidentale, l'univers juridique a été soumis à des critiques virulentes. Le vieux philosophe grec Solon disait que les lois sont comme les toiles d'araignée, elles n'attrapent que les petites mouches. La Fontaine s'en fait l'écho: « Selon que vous êtes puissant ou misérable les jugements de cour vous rendront blanc ou noir. »

Le vingtième siècle, qui aurait dû être l'aboutissement de moult révolutions dites démocratiques, est marqué par la montée des fascismes de droite et de gauche. 80 dictatures à l'ONU. Des études récentes ont montré d'étranges complicités dans la population. Ces phénomènes souterrains remettent en cause des catégorisations politiques aussi artificielles que simplistes.

Marx disait un jour qu'on ne saurait se limiter à ne poser que les problèmes susceptibles de recevoir une réponse immédiate. Dans un contexte aussi perturbé, n'est-ce pas la grande tentation? Or, d'une mesure d'urgence à l'autre, on retrouve les mêmes culs-de-sac, les mêmes scénarios bloqués, la même autoreproduction de conflits de plus en plus compliqués, incompréhensibles, interminables, frustrants, insécurisants, etc. Tout un underground de sentiments émerge. J'en mentionne un que les anthropologies ont su bien identifier dans toutes les sociétés au moment de graves crises, à savoir la peur tripale, aveugle de tomber dans le chaos. Machiavel et bien d'autres ont su donner à cette peur un certain visage politique. Les peuples, disait Machiavel, sacrifient toujours la liberté à leur sécurité. Or, la loi reste le symbole, le lieu fondamental de l'ordre, de la sécurité, de l'autorité morale et politique décisive. Bien sûr, les codes juridiques ont souvent servi à des pouvoirs dominateurs, par-delà un rôle de justice assigné à la loi. Il faudrait, par ailleurs, ignorer l'histoire pour croire que la loi n'est devenue que tout récemment un outil de libération. Particulièrement, dans le monde occidental qui porte une dynamique conflictuelle de l'histoire, ces deux rôles: ordre et libération, ont connu une dialectique de plus en plus forte jusqu'à aujourd'hui.

Déjà aux origines de la révolution bourgeoise, on a fait entrer la dimension contractuelle dans un univers juridique qui, avouons-le, était dominé encore par un ordre politique éternisé en nature et en Providence. Ordre univoque, fixe, indiscutable appuyé sur l'autorité de Dieu et de ses représentants : princes et clercs.

Il y a eu une brèche quand l'univers juridique a commencé d'être aussi un lieu pragmatique de transactions sociales, économiques et politiques. Un autre mouvement historique, le socialisme allait utiliser la loi comme un instrument de contestation, de libération et de révolution, dans la foulée des révolutions démocratiques.

Cette interprétation de l'histoire est elle aussi un peu simpliste.

Les régimes communistes, dans leurs pratiques réelles, ont fait de la loi une normatisation totale qui veut s'imposer jusque dans le plus profond pli de la conscience.

Encore aujourd'hui, on retrouve des subterfuges semblables à celui de la Révolution française. Dans leurs discours populistes, les jeunes bourgeois radicaux qu'étaient Robespierre et les autres ont pris fait et cause pour les paysans dans leur lutte contre les seigneurs féodaux. Ils ont pu faire oublier ainsi leurs propres intérêts, leur volonté de pouvoir, et même leur terreur jacobine. Histoire répétée des nouvelles classes, y compris les nôtres d'aujourd'hui, qui utilisent les petits salariés pour camoufler leurs appétits de tous ordres. Lénine a oublié l'avertissement de Marx qui craignait de voir l'Etat socialiste créer de nouvelles classes dominantes.

On peut régner au nom de Dieu, au nom de la nation, au nom du capital, au nom du prolétariat, dans un cadre de propriété publique comme dans celui de la propriété privée et reproduire le même subterfuge idéologique. Trêve de cynisme !

Les contradictions nouvelles

D'autres phénomènes risquent d'être perdus de vue. Par exemple, la conjugaison d'un univers techno-bureaucratique et d'un comportement sécuritaire aussi largement répandu peut aboutir aussi à un pan-juridisme très contraignant. De même la multiplication des droits de tous ordres peut exiger un encadrement étatique de plus en plus étouffant, sinon stérile. Sans compter le fait que *plus il y a de mailles, plus il y a de trous.* Demandons-nous pourquoi nous nous retrouvons tous au gouvernement pour le moindre problème. Etrange démocratie!

Que d'imbroglio (s)! Le juge Deschênes renvoie une requête en injonction à l'Etat. S'agit-il du parlement législateur ou de l'exécutif gouvernemental, du législateur ou de l'employeur? On lui signifie qu'il est là pour appliquer la loi, sinon pour l'interpréter et non pour l'utiliser dans une perspective de changement, ou de révision plus ou moins radicale.

Eh oui! que d'ambiguïtés et de contradictions!

On revendique des négociations plus libres et on veut un Code du travail qui définisse davantage les règles du jeu.

Les trois replis successifs

—Repli, déjà signalé, sur le gouvernement.

—Puis un deuxième repli sur les médiations techno-bureaucratiques. Et voilà une société qui règle ses problèmes à coup d'intermédiaires (commissions d'enquête, consultants, médiateurs, conciliateurs, arbitres, etc.). Une société où les parties immédiatement concernées n'arrivent pas à régler leurs problèmes à leur niveau, à donner une cohérence minimale et démocratique à leurs conflits, à répondre publiquement de leurs propres actes. Je pense aux règles du jeu dont parlent les derniers rapports d'enquête. 90 jours avant ou après, on peut faire semblant de négocier. Au vote de grève ou à la décision de *lock-out,* on peut stratégiquement donner plusieurs sens légitimateurs sur lesquels la loi a peu de prise.

Quand la machine technocratique des négociations est totalement grippée, patronat, syndicat, experts et médiateurs sont heureux (sans le dire) de voir le parlement législateur ou le gouvernement administrateur assumer toute la responsabilité d'une intervention souvent expéditive, arbitraire et non crédible. Il ne reste alors que l'aphorisme de Séraphin: « La loi, c'est la loi. »

—D'où un troisième repli: accrocher l'avenir à un nouveau Code du travail comme dernière bouée de sauvetage. Le casse-tête de la douzaine d'attitudes parallèles, divergentes ou contradictoires évoquées plus haut laisse présager ici une foire d'empoigne peu propice à des solutions « libérantes », justes et efficaces.

Tout le monde sur la défensive

Ajoutons d'autres éléments à ce fond de scène.

1. On envisage de plus en plus le Code du travail presque exclusivement en fonction de la grève ou du lock-out, sans aborder une sérieuse révision du régime de travail, de l'organisation socio-économique qui débordent le pur rapport conflictuel. Celui-ci, isolé, exclusif et omniprésent, risque de saper, de miner les assises humaines nécessaires même à des changements révolutionnaires.

2. Ce climat de maquis permanent s'inscrit dans une autre dramatique encore plus grave. Voyez comment tout le monde chez nous est sur la défensive, comment on ne développe que des fonctions défensives : maximum de contrôle, de protection, de revendication, de critique. Pendant que nous nous tapons la gueule entre nous, d'autres occupent le terrain, construisent, font fructifier nos ressources à leur profit. La démarche économique, qu'elle soit capitaliste ou socialiste, est une école de décision, d'initiative, de réalisation concrète, de vérification quotidienne. On peut discuter longtemps de politique, d'éducation, de droits sans relier le possible et le réel. Ce n'est pas le cas en économie. On mesure ici les graves conséquences de cette absence d'expérience économique assez largement répandue dans notre population. On ne réglera pas un tel défi par un Code du travail qui serait réglé dans une perspective hyper-défensive.

Une visée très importante

Je retiens une question clé, celle de préciser et de mettre en route les conditions qui permettent à un individu, à un peuple, à une société de faire leur histoire... leur politique, leur économie, avec le plus de réalisme possible, en tenant compte des ensembles qui les environnent et dont ils font partie. Pour moi, l'expérience du travail reste un des principaux leviers de cette perspective d'autodéveloppement.

Je voudrais resituer tout ce que je viens de dire dans le cadre quotidien des milieux de travail. *Where the action is,* comme disent les Américains. L'action dont il est question ici est celle qui concerne la majorité des citoyens dans leur milieu de travail quotidien. Avant de concentrer notre attention sur celui-ci, je voudrais signaler un fait majeur trop méconnu par bien des états-majors et bien des experts, à savoir ceci :

Des comportements nouveaux

La majorité des gens vivent présentement, d'abord et avant tout, une révolution culturelle multiforme, éclatée, souvent souterraine qui passe progressivement de la vie individuelle à la vie collective, du privé au public, du style d'existence au style de société, et comme dans le mouvement féministe, du corps jusqu'à la politique. Qu'on s'oriente ou pas vers des débats de société, les cheminements passent par les expériences les plus fondamentales et quotidiennes : le travail, l'éducation, la santé, les rapports homme-femme, les cadres de vie proches et concrets. Voilà où se logent à la fois les questions, les problèmes, les crises, les aspirations, les horizons décisifs, bref le centre de gravité. Pour le moment, ce centre de gravité se situe dans le projet individuel, peu importent les options idéologiques. Vivre sa vie, avec goût, intérêt, au « boutte », choisir son travail, aménager ses activités, faire comme on l'entend, voilà l'axe principal. Tout le contraire d'une logique institutionnelle, juridique et politique. Les grands discours idéologiques de tous bords survolent allégrement un tel comportement culturel. Même les radicaux les plus socialisants vivent sur ces deux registres divorcés : un privé culturel qui va dans un sens, et un public politique qui va dans un autre. A l'autre extrême, les hommes des pouvoirs en place connaissent le même divorce.

Mais voici qu'un saut qualitatif s'amorce chez beaucoup de citoyens. On n'accepte plus de séparer son aventure personnelle, son style de vie, son expérience de travail, ses options politiques. Mais on cherche avant tout cette première cohérence dans sa vie quotidienne. Le mouvement part d'en bas.

Or, la société dans ses démarches privilégiées suit encore un mouvement descendant. Même l'idée de décentralisation reste tributaire de cette logique techno-bureaucratique. S'en remettre d'abord à la loi, à l'Etat, à des intermédiaires technocratiques, à une grille idéologique toute faite, ce sont là des démarches du même ordre qui laissent entier le problème de cette révolution culturelle d'en bas et aussi d'une pratique et d'une culture démocratique de base encore très déficiente chez nous.

Il nous manque tragiquement des pédagogies pertinentes, éducatives, sociales, politiques, juridiques et même économiques pour assumer ce gigantesque renversement de perspective pour ce nouvel âge dans lequel nous entrons. Et il n'y aura pas de réponses faciles, mécaniques et superficielles à un tel défi, à ce passage d'une société mécanique à une nouvelle société organique.

Resituons ces remarques dans le milieu de travail.

II — Un cadre pédagogique d'intervention : cinq paliers de transactions

Cent fois j'ai entendu, à l'occasion d'un conflit de travail ou l'autre, cette remarque lourde de sens : « Il n'y a pas moyen de se faire une idée précise de ce qui se passe. » Propos tenu non seulement dans la population en général, mais aussi par des gens immédiatement concernés. En remontant la filière on trouvera, derrière le patron, le chef syndical et le ministre, des experts de plus en plus empêtrés dans un fouillis de normes juridiques, administratives, syndicales, professionnelles, financières ou autres. Le recours aux décrets et aux lois spéciales est symptomatique d'une situation très problématique qui ne vient pas le plus souvent des faiblesses du Code du travail. Un tel point de vue est trop simpliste, c'est celui du chien qui se mord la queue.

Essayons d'en faire la preuve dans ce que j'appelle les cinq paliers de transactions dans leur contexte quotidien. Nous y trouverons peut-être une perception plus juste de la réalité, plus près du milieu de travail comme tel, tout en nous orientant vers un ensemble de solutions qui débordent amplement la redéfinition du Code et des lois du travail. Après avoir sondé des attitudes trop peu reconnues, je m'oriente vers des préoccupations d'ordre pédagogique. Car, c'est ma conviction, après vingt ans de recherche et d'expériences en intervention : nous n'avons pas développé les pédagogies sociales de nos nouvelles techniques et structures, de nos idéologies et politiques, de nos nouvelles attitudes et mentalités, de nos lois redéfinies et de nos récentes libertés. Les pires lois sont non seulement celles qui consacrent l'injustice, mais aussi celles qui méconnaissent leur rôle pédagogique. Dans cette étape, je vous convie à une réflexion difficile sur notre situation actuelle. Mais y a-t-il vraiment des réponses simples à des problèmes que nous reconnaissons de plus en plus complexes? Voyons donc ces paliers d'expérience dont j'ai parlé plus haut.

1. Un champ quotidien peu exploré, peu assumé

Il y a d'abord le champ concret de l'activité quotidienne dans l'institution locale. A ras de sol, de vie, de petite histoire, d'événements souvent imprévus, de jeux d'influence et d'interaction, de mentalité plus ou moins impondérable. Ce palier d'expérience est de plus en plus valorisé par les sensibilités culturelles actuelles, et en même temps, c'est celui qui est le plus marginalisé par les démarches technocratiques, administratives ou syndicales, par les grands jeux idéologiques logés de plus en plus au sommet. Tout se passe comme si tous, nous étions devenus des analphabètes pour saisir ce terreau premier de la vie, du travail et de l'institution locale.

Vues de là, nos problématiques comme nos solutions apparaissent de plus en plus abstraites, et décrochées du lieu, du milieu où la vie première se déroule, où naissent de plus en plus les principaux problèmes. Nous sommes ici encore bien loin du code: carcan ou outil de libération. Et pourtant... c'est à ce niveau vital que toutes les pédagogies d'organisation et d'intervention vérifient leur pertinence. Voyez, par exemple, comment les gens situent leurs insatisfactions, leurs attentes, et évidemment leur expérience à ce plan-là; souvent d'une façon erratique, d'où la tentation de loger la critique dans les sphères de surplomb, même face à leur establishment syndical.

Ce palier d'expérience s'est brouillé à mesure qu'on a situé les démarches en haut, si bien qu'une majorité de citoyens a désappris à bien comprendre ou à féconder son propre milieu de vie quotidien. Il en va ainsi de l'itinéraire personnel. D'où, encore là, la tentation de chercher un sens, une dynamique d'existence partout ailleurs, sauf là où on vit tous les jours. Autre est de le constater, autre est de développer des apprentissages et des habiletés en situation, et non plus en laboratoire. Vous savez ces sessions de week-ends, ces cours de trente heures qui vous promettent un paradis personnel ou social.

La profonde perplexité actuelle, au coeur de la vie courante, incite à sauter sur la première codification technocratique, scientifique, idéologique, juridique ou autre qui semble nous apporter automatiquement la bonne réponse, la bonne technique. N'ayant pas fait notre propre révolution technologique, nous avons transposé des attitudes magiques face aux diverses techniques physiques ou sociales, au point d'oublier même ce que nous pouvons faire par nous-mêmes. Un problème des instruits comme des non-instruits chez nous.

Serait-ce une cause importante de certains comportements quotidiens, dits sauvages, incertains, erratiques, survoltés, apolitiques, asociaux au plan individuel, mais aussi collectif? Les travailleurs de la base sont de moins en moins dans le coup en dépit des nouveaux mécanismes démocratiques, des tentatives de participation. Ils ont le sentiment de ne pas tellement compter dans ce monde compliqué des états-majors en lutte au sommet, des organisations sophistiquées. Tout cela crée mille et une formes de frustration, d'agressivité, de repli, de fuite, de démotivation.

J'insiste sur cette multiplication des complexités : l'organisation comme telle (la syndicale comprise) ; les stratégies, les régulations et les enjeux idéologiques des conflits ; les multiples chocs des valeurs anciennes et nouvelles ; les changements incessants en tous domaines : programmations, encadrements, méthodes de gestion, etc. Sans compter l'instabilité économique avec son poids de chômage et d'inflation. Tout cela crée une profonde insécurité, une confusion mentale et sociale. Paradoxe de la sur-organisation institutionnelle et d'une vie quotidienne souvent anarchique.

Il n'y a plus à vrai dire de style de vie, de style de travail au sens fort d'une certaine figure un peu claire de l'ensemble d'une expérience. Nous payons cher la taylorisation croissante du tra-

vail et de la vie au XXe siècle. L'univers administratif s'est constitué comme un monde en soi, sans aucune intelligence concrète de ce qu'est une communauté de travail. Ne confondons pas celle-ci avec une équipe technique.

On me dira qu'ici au Québec notre plus grande faiblesse est de l'ordre de la gestion. C'est une vérité partielle par rapport à la situation évoquée. Qu'on songe au fait que dans des organisations fortes en gestion, ailleurs, ces problèmes de fond existent. *Avant le code dit « carcan », il y a bien d'autres carcans... des attelages plus lourds que ceux qui les portent, plus lourds que ce qu'ils ont à harnacher. Combien sont empêtrés dans des appareillages et des techniques souvent disproportionnés qui étouffent tout autant l'efficacité que la vie ?*

Je vois des spécialistes de tous horizons lever les épaules devant ces propos. Au plan des expériences humaines, ils sont parfois des illettrés qui ignorent l'a b c d'une pédagogie minimale. Ce que j'ai pu en voir à l'occasion d'expériences de réorganisation du travail. D'une expertise à l'autre, très défendable en termes financiers, administratifs, techniques, mais ignare de ce qui se passe vraiment dans le milieu de travail, ignare aussi de ce qui pourrait devenir un début de communauté de travail. Avouons que le syndicalisme nord-américain en général n'a pratiquement pas mis de projet de cet ordre sur la table.

Non, je ne puis isoler la question des codes juridiques ou autres de ce premier palier d'expérience dont on n'a désappris l'économie propre, la dynamique interne et aussi les difficultés particulières. Je me suis longuement expliqué là-dessus dans des ouvrages récents, tels *Des milieux de travail à ré-inventer* (P.U.M. 1976), *Quelle société ?* (Leméac, 1978). Si vraiment, comme société, nous n'avons pas encore développé le génie de la technique et de la gestion, la dynamique de l'économie, il faudra nous rendre compte en même temps que le défi ne saurait être surmonté sans une maîtrise plus sérieuse des obstacles et des dynamismes de ce profond et large terreau humain. Les milieux technologiques les plus avancés sont en train d'en prendre conscience, parce que là se situe le long terme des promesses comme des prévisions d'avenir.

Il n'y a pas que du conservatisme à la base, que des résistances, comme le laissent entendre les technocrates avant-gardistes et même certains idéologues de gauche. *La vie s'est craquelée bien avant les codes,* mais elle n'en porte pas moins des ressources si souvent méconnues par les experts.

Et dire qu'une telle affirmation est étiquetée « idéaliste ». Alors qu'on me dise pourquoi les mécaniques prestigieuses et les scénarios idéologiques ou politiques savants rejoignent de moins en moins les hommes en situation, pourquoi il y a peu de vrais milieux de travail épanouissants. Oh ! c'est trop facile de tout ramener à l'une ou l'autre référence du genre : virage à droite, refus aveugle de la technologie, crise morale, désobéissance à la loi ou encore réforme du code.

Ce n'est pas non plus en raffinant davantage les appareils d'un bord et la critique idéologique de l'autre bord qu'on inventera des pratiques quotidiennes humaines, pertinentes culturellement, et efficaces. Sans des pédagogies sociales plus « congruantes » à ce niveau, les discussions autour du contrat social pour fonder la réforme du code du travail seront nettement insuffisantes. Comme nous allons le voir, il y a bien d'autres couches de la réalité en dessous du code, lui-même surplombé par le contrat social actuel.

2. Une organisation locale coincée

Au deuxième palier, on trouve l'organisation formelle des tâches, des rôles, des statuts et aussi des mécanismes de transaction, inscrits dans la structure techno-administrative et dans la convention collective. Je n'ai pas à rappeler ici l'univers taylorien encore dominant que renforce souvent le syndicalisme lui-même, bloquant ainsi la requalification du travail par les travailleurs eux-mêmes face à la rationalité technocratique, au pouvoir administratif ou au capital. C'est un peu scier la branche sur laquelle on est assis. Dans l'expérience douloureuse de Tricofil, j'ai appris les conséquences tragiques d'une situation historique où le syndicalisme a été confiné, et s'est lui-même confiné, à un statut de contre-pouvoir, sous prétexte de ne pas se faire avoir par une quelconque forme de participation. Comme si tout à l'heure, après un changement structurel du pouvoir, on serait prêt tout de go non seulement à assumer ce palier de l'organisation, mais aussi à le marquer d'une dynamique de création collective avec ses compétences correspondantes.

Or, en se refusant à la moindre expérience quotidienne de ce type on se condamne à ne maîtriser que certaines fonctions défensives. Gagner un code du travail pro-ouvrier ou fonder un parti des travailleurs laissent entier ce problème de fond sans cesse relégué à l'éventuelle société nouvelle.

Demandons-nous, une fois de plus, pourquoi nous en sommes venus à la peau de chagrin d'un code réduit de plus en plus à la pure et simple régulation de conflits, sans révision ou redéfinition du régime du travail, sans nouvelle évaluation du vaste champ d'expérience que j'ai situé au premier palier, là précisément où des changements profonds, souterrains, plus culturels qu'idéologiques se sont produits. Leaders ou experts de tous horizons, avouerons-nous notre peu de prise sur ces deux premiers paliers? Particulièrement au second, les outils ne manquent pas. Les codifications sophistiquées non plus! Il doit bien y avoir autre chose.

Le palier d'organisation le plus près de la vie locale est moins souple qu'on veut bien le dire. J'ai parlé tantôt de la méfiance syndicale systématique. Avouons qu'elle a un fondement dans la réalité structurelle de l'organisation que les travailleurs ont sous les yeux. Non pas seulement parce que celle-ci est définie de plus en plus d'en haut, dans une sphère administrative qui se tient par elle-même, mais aussi parce qu'on maintient une conception des droits de gérance et de propriété érigés en absolu. A cette attitude les travailleurs opposeront inévitablement des objectifs de contrôle ou de pouvoir tout aussi absolus. Par crainte de mettre à vif cette dramatique, les spécialistes réformateurs du code ont préféré l'ignorer en alléguant le réalisme. Tout au plus reconnaissent-ils en gros la dimension conflictuelle de notre régime de travail. Mais il faudra bien un un jour voir plus franchement et plus lucidement comment cette dimension conflictuelle se traduit aux différents paliers d'expérience que nous tentons de cerner ici. Entre les organigrammes et les modes quotidiens de gestion, il y a tout un monde, comme entre le code et le cheminement local d'un grief. Les idéalistes ou les irréalistes dans tout cela ne sont pas toujours ceux qu'on qualifie ainsi.

Retenons ici l'image d'une organisation locale coincée entre la révolution psychologique et culturelle du quotidien, l'absence de trame sociale, l'éclatement de l'expérience humaine du travail, d'une part, et d'autre part des superstructures administratives, juridiques et idéologiques qui définissent trop unilatéralement l'organisation locale. Il y va ici beaucoup plus qu'une question de décentralisation.

Mais, il est un palier intermédiaire lui aussi mal exploré et mal assumé.

3. L'importante zone grise des « stratégies »

Le troisième palier va nous éclairer davantage. Déjà, on peut s'attendre à un certain choc entre le premier et le second, entre l'expérience et la structure la plus proche, c.-à.-d. l'organisation quotidienne locale. De là va naître l'importante zone grise des stratégies tactiques non seulement de l'administration et du syndicat, mais aussi des individus eux-mêmes. Un contexte de lutte exacerbée, un équipement intellectuel plus sophistiqué de part et d'autre, une situation complexe qui permet mille façons de gripper l'un ou l'autre des nombreux rouages, une organisation bureaucratique qui y invite (voir les études qui convergent en ce sens), tout cela constitue un processus cumulatif qui agrandit constamment la zone grise des stratégies occultes.

Notons en passant les énormes conséquences de cet état de choses sur le jeu démocratique, sur la fonction politique et encore plus sur les régulations juridiques. Ces trois démarches seront de moins en moins nettes, de moins en moins efficaces dans ce contexte où le génie de la stratégie prend une importance énorme dans une psychologie de guerre totale. Un autre fond de scène qui est pourtant bien présent dans les milieux de militance, dans les huis clos patronaux, dans les cercles technocratiques et dans les débats publics. Dans ce contexte de stratégie occulte, il arrive que les travailleurs de la base développent une double méfiance face à leurs propres chefs et face aux patrons.

Je porte à dessein cette question à une certaine limite critique pour mieux faire ressortir cette masse énorme de l'iceberg où la nouvelle classe administrative rivalise ici avec celle des professionnels révolutionnaires auxquels Lénine accordait un statut prééminent. Je cite Djilas : « Ce n'est pas par hasard si Lénine affirma toujours que seuls les hommes dont l'unique profession était le travail révolutionnaire pouvaient construire un parti de type bolchévique. » (*La nouvelle classe dirigeante,* p. 47.) Exemple extrême d'un processus de construction des nouvelles classes de gauche ou de droite. Au XXe siècle, elles ont développé avant tout un génie de la stratégie subtile qui échappe radicalement à la démocratie de base et aux lois les plus fines. Il ne faut pas situer la crise du parlement d'abord dans son enceinte. De même, le décrochage de tant de citoyens n'est pas étranger à ce jeu stratégique et professionnel de zones grises insaisissables par le profane, par la plupart des citoyens.

Voyez toutes les modifications qu'on a apportées ou qu'on est en train de mettre en place pour une démarche préventive de conflits sauvages ou insolubles. Redisons-le : 90 jours avant ou après, on peut faire « semblant » de négocier. Au vote de grève comme au lock-out on peut stratégiquement donner plusieurs sens légitimateurs ou justificateurs sur lesquels la loi a peu de prise. La « bonne foi » ... ce qu'on peut en faire !

Bien sûr, la démarche stratégique fait partie de toute transaction humaine, et surtout d'une situation de lutte. En l'occurrence, voilà le palier clé qui souvent occulte les deux autres en amont et les deux autres en aval. A tous les stratèges professionnels actuels, j'ai le goût de rappeler que leur génie peut avoir un effet de boomerang qui tue la démocratie de laquelle tous se réclament, boomerang aussi qui prépare des situations historiques où l'on cherche le pouvoir pour lui-même.

C'est le meilleur moyen d'étouffer la loi et la liberté, les hommes et les institutions. Et si jamais la socialisation allait vers des formes de plus en plus poussées chez nous, si cette perspective de stratégie à l'état pur continuait de s'imposer, on verrait une nouvelle classe gérer et se distribuer la propriété collective au nom même de la nation, comme c'est le cas dans des régions bien connues, comme c'est le cas chez certains manipulateurs financiers en régime capitaliste. Danger à long terme qu'il faut détecter dans le germe de pratiques qui y conduisent, partout où elles se trouvent.

4. Le code : rôles mal définis, conceptions éclatées

Venons-en au quatrième palier, celui des grands codes civil et criminel, du code du travail qui constituent les cadres généraux des principales règles du jeu dans la société. Au regard des remarques précédentes, ces codes apparaissent bien fragiles jusque dans leur autorité morale et leur crédibilité politique. Je rappelle les ambivalences déjà soulignées : on n'attend rien d'eux, mais on agit comme si on s'en remettait complètement à eux, pour se protéger soi-même et pour contrôler les autres. Carcan et outil de libération alternent parfois dans le même discours. Présentement, on a plutôt l'impression que les codes ne sont effectivement ni l'un ni l'autre, et que d'ailleurs, dans un régime comme le nôtre, ils n'ont plus l'autorité qu'on leur reconnaissait hier.

Qui accepterait inconditionnellement cette affirmation de naguère par William Pitt : « Là où la loi finit, commence la tyrannie. » ? Notons ici que le monde latin se situe face à la loi d'une façon assez paradoxale : à la fois plus légaliste et plus délinquant, plus autoritaire et plus anarchique, plus sécuritaire et plus libertaire, plus égalitaire et plus élitiste. Si ce constat est au moins en partie vrai, il ne nous aide pas à surmonter nos ambivalences devant la loi, et à assumer la profonde transition que nous vivons. Jugeons-en par la grande variété des points de vue face aux codes, y compris celui du travail.

Les uns le conçoivent dans une perspective de réforme permanente à même l'évolution sociale, culturelle et politique. D'autres y voient un des rares lieux sociétaires stables qui assurent un minimum de continuité historique et de cohérence sociale. Plusieurs, dans la foulée d'une certaine révolution culturelle « subjectiviste », considèrent les lois comme essentiellement répressives. Les libertaires de gauche ou de droite (étrange connivence) plaident pour la réduction drastique de tout ce qui est loi, politique et Etat. A vrai dire, rares sont ceux qui font de la loi un dogme, une expression de l'autorité sacrée et intouchable. Pensons à ce que des pouvoirs se permettent illégalement au nom de la sécurité nationale, à ce que d'autres font d'une façon un peu semblable au nom d'une idéologie opposée.

Au bilan, on peut se demander si codes et lois ne sont pas minés, piégés, rabaissés, contournés, détournés de bien des façons et par bien des forces de divers horizons idéologiques. Et comme en bureaucratie, plus la vis se resserre, plus on s'ingénie à trouver des failles, mais cela à des frais de plus en plus élevés. Le recours de plus en plus fréquent et massif aux avocats en témoigne.

Voyez comment s'amorce la mise en route d'une négociation. Elle commence souvent par la rencontre des avocats des deux parties. Ils seront des intervenants clés tout au long du processus, jusque dans les futures interprétations ou applications de la convention collective. « Il faut toujours avoir l'avocat dans les environs », disent les uns et les autres. Etrange paradoxe de ce juridisme permanent parallèle à des pratiques qui s'y opposent constamment. Peut-être devrons-nous commencer par réinterroger la codification des conventions collectives pour mieux cerner les limites et redéfinir les rôles mal articulés du Code du travail. Ce qu'il y a de sûr, c'est que chercher dans la démarche juridique *la* formule de régulation des conflits ou même des rapports sociaux véhicule de grandes illusions. Le dernier palier va nous en convaincre davantage.

5. Idéologies erratiques et pauvreté des philosophies politiques

Tous les points chauds : accréditation, droit de grève, injonction, briseurs de grève, services essentiels, droit de gérance, respect de la propriété, et tant d'autres, révèlent des horizons idéologiques en conflit.

Certes, commençons par reconnaître qu'il existe en plusieurs situations un choc de droits authentiques qui n'a rien à voir avec une logique manichéenne situant le droit du même bord, et refusant ainsi à l'autre quelque droit fondé que ce soit. Une telle logique est davantage dans la pratique que dans le discours. Je veux insister sur ce dernier aspect pour bien montrer que la dimension idéologique souvent considérée comme purement verbale, ou abstraite ou globaliste, passe et se révèle beaucoup plus dans la pratique.

Mon souci pédagogique ici est de ramener le champ idéologique à ces paliers de profondeur que je viens de décrire. Autrement dit, chacune des idéologies particulières doit être vue et comprise dans les comportements quotidiens, dans l'organisation concrète, dans les stratégies et dans les codifications. Plus on s'approche du premier palier, plus on trouve le vrai visage de l'idéologie.

On loge donc souvent l'idéologie dans les hautes sphères politiques, dans la critique globale, dans les discours d'états-majors. Certains ont la tentation par la suite de se limiter à confronter le code et ses réformes aux grandes références idéologiques formelles : libéralisme ou socialisme, démocratie industrielle, nationalisation, nouveau contrat social et quoi encore... toujours avec une quelconque caution scientifique. Ce que je dis ici de l'idéologie s'applique aussi à l'autre démarche qui consiste à miser uniquement sur la rationalité des nouveaux mécanismes. Deux genres de scénarios trop décrochés de ces paliers de réalité que nous venons d'explorer, trop décrochés aussi des pédagogies sociales possibles pour les assumer.

Pour un minimum de pédagogie sociale commune

Résumons-nous : il faut situer pédagogiquement le code par rapport aux changements qui se sont produits aux plans des pratiques quotidiennes, des formes actuelles et concrètes d'organisation institutionnelle, des stratégies les plus utilisées et des conflits idéologiques en situation (ce qui est différent des discours polémiques !).

Toutes ces coordonnées ne s'articulent pas indifféremment comme nous venons de le voir. Par exemple, certains critiques partent de la diversité idéologique actuelle pour mettre en cause, par exemple, notre version de la formule Rand. Ainsi des travailleurs qui ne partagent pas l'idéologie ou la politique du syndicat appuyée par la majorité seraient brimés dans leurs droits individuels. Plaidoyer étrange, puisqu'on ne se pose pas la même question face à des gouvernements élus parfois par une minorité de citoyens.

On pourrait s'interroger abstraitement sur les rapports entre droits individuels et collectifs. Certes, je ne nie pas l'importance d'une solide philosophie critique qui semble manquer aux plaidoyers idéologiques unilatéraux des différents camps. Sans compter ce que nous révèle la diversité des contextes historiques et culturels. Ceux-ci ne situent pas l'individualité et la socialité de la même façon. Il y a des cultures plus collectivistes. Il y a des sensibilités occidentales très fortes en matière de liberté individuelle. Mais toutes ces considérations ne suffisent pas.

Pensons au critère de classe sociale qui fait ressortir d'autres aspects: dans les classes nanties où des réseaux collectifs sont fortement constitués, c'est surtout l'individualité qui reste à affirmer, alors que dans le monde ouvrier, particulièrement prolétaire, la classe est à faire et l'affirmation de l'individu passe par la lutte collective. D'où cette attention accordée aux droits collectifs. On se rend compte ici de la pauvreté de nos philosophies politiques en présence. Que de raccourcis simplistes qui font bon marché tantôt de l'individualité, tantôt de la socialité. Raccourcis dans la conception de la liberté, du droit, de la loi, du conflit. Raccourcis dans les conceptions du travail, de la technologie, de l'économie et de la politique. Raccourcis qui confondent relations humaines et rapports sociaux. Etrange paradoxe en regard de la sophistication des appareils et des processus instrumentaux. Je suis de plus en plus frappé par le nombre grandissant de gens qui n'arrivent pas à préciser ce qu'ils veulent par-delà les stéréotypes des schèmes critiques à la mode. Or, même chez les instruits, les finalités se réduisent souvent à des objectifs instrumentaux... eux-mêmes standardisés. On les retrouve d'un dossier à l'autre, d'une organisation à l'autre, peu importe la diversité des champs humains d'expérience qu'ils recouvrent.

Cette dernière remarque nous amène à penser qu'une philosophie politique cohérente au cinquième palier ne suffira pas pour redéfinir le code, pour juger des stratégies, pour aménager une organisation institutionnelle plus pertinente, et surtout pour assumer le champ très bouleversé des expériences quotidiennes actuelles avec leurs nombreux impondérables. D'où mon plaidoyer pour une pédagogie de la loi qui se définit par une autre pédagogie sociale, toute différente si elle se façonne du premier au cinquième palier, plutôt que l'inverse, comme c'est le cas dans notre univers technocratique de plus en plus abstrait.

Certes, voilà une démarche entre plusieurs. Je ne nie pas l'importance du travail propre à chacun des paliers: expérience de base, organisation institutionnelle, stratégie des rapports sociaux et des conflits, codifications, jeux idéologiques et politiques. Je n'ignore pas non plus que l'entrée du jeu peut se faire par l'un ou l'autre de ces champs d'intervention. Mais j'ai voulu insister sur l'importance de les prendre tous en considération, parce qu'en chacun d'eux, il y a des carcans, et en même temps, des requêtes et des possibilités de libération. Ceux-là et celles-ci me semblent être plus poussés à mesure qu'on s'approche du champ quotidien d'expérience.

A ce premier plan vital, on comprend qu'en deçà des luttes idéologiques, juridiques ou autres, des hommes et des femmes vivent une quotidienneté éclatée dans des milieux de travail froids et souvent peu respirables. Situation qui provoque des comportements erratiques et parfois irrationnels, des phénomènes de rejet où même le syndicalisme à long terme risque d'y perdre. Lui aussi sera identifié à une nouvelle classe qui monopolise les structures intermédiaires, et qui fait, parfois malgré elle, le jeu de pouvoirs oligarchiques toujours dominants, y compris dans le monde dit libre et chez nous.

Une dynamique de libération à la base démocratique est loin d'être acquise. Le code peut aider, mais j'en ai montré les limites, et les conditions, tout en ne cachant pas mes enseignes.

Conclusion

Je suis un homme inquiet. Aux abords des années 80, nous nous retrouvons avec les mêmes problèmes de fond que nous avons identifiés au cours des années 50. La Révolution tranquille devait mettre en place des structures, des outils pour nous permettre un développement socio-économique à la fois plus juste et plus efficace. Dans quelle mesure le moyen s'est enroulé sur lui-même, s'est hypertrophié ? J'appartiens à cette tendance idéologique qui a promu des changements culturels, sociaux et politiques, mais qui n'a pas débouché sur « l'économique ». Par ailleurs, un certain monde économique semble incapable d'assumer ces changements. Bref, un social qui n'aboutit pas à l'économique. Et un économique qui ne rejoint pas le social.

Il faut nous équiper pour conjuguer ces deux expériences fondamentales d'une façon judicieuse et audacieuse, sans nous enfermer dans l'un ou l'autre corridor idéologique qui ne saurait assumer la complexité et aussi les richesses d'un tournant historique peut-être inédit.

La tâche ne sera pas facile. Nous ne ferons pas l'économie de dures luttes. Mais, encore là, devrons-nous examiner honnêtement les vraies priorités qui respectent à la fois la justice et les conditions d'un développement prometteur ? Telle, par exemple, la création d'emplois multiplicateurs en regard de mesures coûteuses massives et immédiates au bénéfice des classes déjà assez bien pourvues (je pense aux multiples avantages réclamés par les cadres, par les professionnels, par les hauts salariés syndiqués).

Et dire qu'un tel essai de discernement des priorités est qualifié, par ces gens, de démagogie. Le chômage représente une exigence autrement plus pressante et importante. 11 p. cent de chômeurs, c'est un énorme déficit humain, c'est aussi une perte sèche de $5 milliards par année. Pareil drame interroge certaines revendications de luxe chez les groupes les plus forts, certaines revendications ennoblies en droits dits fondamentaux, en droits acquis qui parfois tiennent davantage de « privilèges » au même titre que ceux de la grande bourgeoisie. Faudra-t-il attendre que la nouvelle classe de promus de la Révolution tranquille connaisse à son tour un chômage substantiel pour qu'on aborde plus judicieusement la question des priorités ?

Dans quelle mesure bien de nos combats actuels font de nous un peuple entreprenant capable de se tailler une place dans le monde actuel ? Cette interrogation met au défi notre trame quotidienne de rapports sociaux, de travail, d'éducation, de politique « appliquée ». Elle précède la redéfinition des codes et des lois. En dessous de celles-ci, il y a bien d'autres couches de réalité à maîtriser et à féconder.

Il est donc nécessaire d'identifier les problèmes, les solutions et les tâches à chacun de ces paliers. Mais voulons-nous le faire effectivement ? Mesurons-nous les conséquences à long terme des culs-de-sac actuels ? Peut-être devrons-nous reprendre les choses par le bas, par le fond, par les activités les plus courantes où nous avons désappris à régler les problèmes là où ils se posent d'abord, à nous battre plus humainement et sans intermédiaires artificiels, et surtout à créer ensemble.

Nous entrons dans un nouvel âge qui indique timidement un renversement de perspective. En effet, il est tout un du trône et de l'autel, de la loi et du parlement quand la majorité des hommes consentent à se laisser passivement définir, régir et juger par le clerc, le roi et le magistrat. Ce défi historique prend aujourd'hui de nouveaux visages à l'Ouest comme à l'Est, souvent sous le masque noble de la neutralité scientifique ou technocratique. On dispute des systèmes dans l'abstrait ; on manipule des mécanismes aussi abstraits tout en renvoyant à l'insignifiance et à l'irréalisme les humbles démarches quotidiennes où tant d'hommes et de femmes tentent de s'approprier leur parole, leur jugement, leur vie, leur expérience et leurs motivations; leurs rapports sociau, leurs institutions et leur politique. C'est là un mouvement ascendant que les nouveaux clercs de tous horixons idéologiques méconnaissent et disqualifient. La loi ne sera jamais un outil de libération, si celle-ci n'est pas ramenée à son premier terreau vital là où la conscience, l'expérience et les pratiques ont plus de chance de révéler les vrais enjeux en dessous de rituels juridiques et idéologiques de plus en plus décrochés.

Dans ce chapitre, j'ai voulu montrer comment une dynamique de libération existe à la base démocratique, même si elle s'est peu traduite en politique et en loi. Je ne nie pas le chemin inverse à partir de lois plus libératrices, mais je n'y accorde pas grand crédit sans l'autre.

Si ce peuple qui est nôtre a vraiment un avenir propre en terre d'Amérique, il devra d'abord sonder les assises quotidiennes de ses institutions et de ses lois, mais aussi de ses pratiques et de ses motivations. J'ose espérer que nous nous rapprocherons le plus possible de la justice sans sacrifier la liberté, l'excellence et la créativité.

NOTE : Cul-de-sac des enquêtes, commissions et comités

Le Rapport Thibaudeau, tout comme celui de Bouchard-Martin, n'envisage pas une vaste commission d'enquête sur l'ensemble des lois du travail en vue d'une réforme globale du code. Seul, semble-t-il, le Conseil du patronat s'y intéresse. Le professeur Thibaudeau constate «une sorte d'essoufflement à la suite des récentes législations, dû au fait que les effets de ces nouvelles lois ne se sont pas encore fait sentir, qu'il s'agisse des amendements apportés au Code du travail (loi 45) ou des lois qui ont résulté du Rapport Martin-Bouchard concernant les services publics et para-publics, ou encore des nouvelles dispositions législatives dans le domaine de la construction. »

Il est plutôt question de comités d'étude ad hoc sur des mandats précis comme la syndicalisation des cadres. Comités constitués par des spécialistes (économistes, sociologues, avocats, hauts fonctionnaires), bref, des intermédiaires dits neutres et dégagés des intérêts syndicaux et patronaux. Ce serait aussi une façon d'éviter la « politisation des problèmes » !

Des analystes, à la suite du Rapport Thibaudeau, suggèrent que ces comités ad hoc soient encadrés par un *task force* de même composition pour intégrer ces réformes partielles dans l'ensemble de la législation du travail, quitte à réviser celle-ci en fonction des nouvelles mesures et peut-être des nouvelles orientations qui se dessinent depuis quelque temps.

Voilà, au bilan, une autre illustration du rituel itératif utilisé pour la solution de nos problèmes collectifs de tous ordres. Commission ou comité d'experts dits neutres qui, après étude et consultation, définissent la situation problématique, les moyens pour en sortir et les objectifs.

Je ne veux pas disqualifier les compétences professionnelles spécialisées que nous nous sommes données. Le problème que je veux signaler est d'un autre ordre. L'utilisation quasi exclusive de ce processus unique et stardardisé de l'expertise intermédiaire, dite neutre, commence à avoir des rendements décroissants. Signalons-en quelques-uns.

Tout se passe comme si un tel processus déclenchait une enfilade d'enquêtes, de comités qui installent un peu tout le monde dans une sorte de *no man's land* intermédiaire, instrumental. Celui-ci en vient à marginaliser les problèmes de départ, les responsabilités impliquées, les décisions à prendre et les finalités elles-mêmes. Même le rapport de forces s'absorbe dans ce rituel sans visage.

Il est inutile de geindre sur la bureaucratie, sur la pauvreté démocratique, sur l'inefficacité, sur l'indécision si nous refusons de revoir cette mécanique de base qui n'est pas étrangère à ces résultats décevants. Des questions majeures restent ici sans réponse. J'ai noté, par exemple, une sorte de complicité où à peu près tout le monde se place dans une position pour ne pas avoir à répondre de ses actes, pour renvoyer la responsabilité politique uniquement à l'Etat qui se replie à son tour sur l'étude des recommandations de telle ou telle commission. On passe ainsi d'une démarche dilatoire à l'autre.

Mais il y a plus grave. Sous prétexte d'éviter la « politisation », l'interférence idéologique, et pour assurer l'objectivité, on emprunte la voie du « mécanisme neutre », du contenant indifférent aux divers contenus. C'est ainsi que les uns et les autres, experts et profanes, désapprennent progressivement, à préciser, à évaluer ce qu'ils veulent vraiment par-delà ce qu'ils rejettent, critiquent ou contestent. Tout ce qui est de l'ordre des attitudes, des orientations profondes, des enjeux éthiques, de la philosophie politique, tout cela devient abstrait, marginal... et inutile. Questions qui n'intéressent que les thérapeutes, les curés moralistes, les philosophes de cégep ou les utopistes. Ah certes! plusieurs parlent de débats de société, de projets collectifs, de conflits idéologiques, de révision globale, mais toujours en termes vagues comme si la tâche de les concrétiser ne faisait pas partie de leur démarche, de leur lutte ou de leur solution. Si vraiment il y a de nouvelles polarisation idéologiques, c'est une raison de plus pour étoffer nos aptitudes à qualifier nos orientations et nos finalités les plus décisives.

Je pourrais allonger une liste interminable de comportements contestables reliés à ce rituel de solution à coup d'intermédiaires. Peut-être suffit-il de nous alerter sur la pauvreté de pédagogie démocratique et politique qu'un tel univers techno-bureaucratique renforce avec notre propre complicité. On est alors loin d'une société capable de faire son histoire, sa politique, son économie, de citoyens capables de façonner des institutions et des milieux de vie qui se prennent en charge.

3. Les classes moyennes, miroir aux alouettes

I — L'évolution récente

Un silence révélateur

Marx avait prévu l'émergence de nouvelles classes privilégiées dans l'Etat moderne bureaucratique. Un phénomène commun à toutes les sociétés contemporaines, et cela même dans les pays du Tiers-monde. Souvenons-nous de l'aventure du Chili et de ses classes moyennes au temps d'Allende.

Dans certains milieux idéologiques, on se refuse à réfléchir sur les classes moyennes. Ce serait là un concept piégé des sociologues américains. En réduisant la lecture sociale à la description des strates socio-économiques, ceux-ci cachaient ainsi la vraie structure de classes. Bien sûr, aux extrêmes, on trouve le grave problème d'une minorité toujours plus riche et d'une minorité toujours plus pauvre. Mais le fait de la montée massive, majoritaire des classes moyennes ne demeurerait pas moins le signe indubitable, à leurs yeux, d'une société à la fois plus juste et progressiste.

Un second regard oblige à voir les choses d'une façon moins optimiste. Par exemple, chez nous au Canada, l'écart des revenus entre riches et pauvres n'a cessé de grandir depuis 1951. Il était de $3 060 à ce moment-là, alors qu'il atteint $18 000 aujourd'hui. Compte tenu de l'inflation, on aurait dû trouver ici un écart de $6 900. Echec du Welfare State? N'est-il pas scandaleux que 20 pour cent de familles à revenu supérieur se partagent 42 pour cent du revenu national total, et que 20 pour cent à l'autre extrémité de l'échelle se contentent de 4 pour cent ?

Des radicaux se servent de ces chiffres pour justifier un schéma de classes dichotomique et simpliste sans s'arrêter sur le phénomène des classes moyennes qui constituent un immense pan de notre société. La droite l'utilise pour se légitimer et la gauche l'ignore. Les deux attitudes sont aussi contestables, fût-ce pour des raisons différentes.

Il est peu ou pas question des classes moyennes dans le discours de gauche. On préfère parler de petite bourgeoisie, ce qui permet de s'exclure soi-même du problème en bien des cas. Car la petite bourgeoisie, ce sont les notables, les cadres, les administrateurs. Elites traditionnelles et administrateurs, curés et professionnels libéraux, marchands et agents d'assurances, hauts fonctionnaires, etc. Cette petite bourgeoisie est la courroie de transmission de la grande, exploitrice des travailleurs, du peuple. Et l'on revient vite au schéma simple, limpide, irréfutable des deux classes.

Pas un mot sur les classes moyennes. C'est trop gênant, n'est-ce pas ? En effet, la plupart des hommes de gauche en sont par tous les pores de la peau, du portefeuille et de la vie, par le style de consommation, de loisirs... de vacances, par mille et un intérêts communs. Ici, l'occultation idéologique dispute au silence dans le langage ritualisé d'une pensée dite radicale qui pratique, sous un autre mode, l'aveuglement reproché aux sociologues américains classiques. Ironie de l'histoire !

En effet, les radicaux ont dénoncé les sociologues fonctionnalistes qui divisaient la société en strates, cachant ainsi la vraie structure de classes. *Upper middle class, middle-middle class, low middle class,* et aux extrêmes: une minorité riche et une minorité pauvre. Donc, la majorité au centre répartie selon des statuts socio-économiques. Une belle façon de nier l'analyse marxiste, les vrais rapports sociaux. Ce genre de recherche comportait au point de départ une quasi-négation des classes sociales.

Il faut à tout prix y voir clair, ne pas craindre d'examiner cette réalité sous tous ses angles et mieux envisager certaines questions tabous comme l'interrogation d'un syndicalisme massivement de classe moyenne et au service des classes moyennes. Dans quelle mesure il y a là aussi fausse conscience idéologique?

Où et comment ce monde « moyen » se situe en termes de classe sociale?

Est-ce que la définition qu'on donne de celle-ci permet de saisir ce qui se passe dans les milieux correspondants?

Les maîtres références: rapports sociaux, positions socio-économiques, pratiques, intérêts particuliers ont-ils une place spécifique pour qualifier les classes moyennes sur l'échiquier idéologique, économique et politique?

Les syndiqués, massivement, ne s'alignent-ils pas sur les modèles de ce mitan social et très peu sur la conscience ouvrière prolétarienne définie par les centrales syndicales?

Pour sauver une cohérence idéologique

Répondre à ces questions, c'est peut-être se définir soi-même, s'avouer tel qu'on est dans ses pratiques, dans sa vie réelle. Quand on a une explication totale aussi sûre et limpide, il est difficile de se reconnaître piégé, embringué. A la traîne et à la toise d'un monde social qui n'a pas grand-chose en commun avec le prolétariat historique. Si! salariés exécutants, et voilà la cohérence idéologique retrouvée. De l'ouvrier du textile au fonctionnaire surprotégé et indexé en passant par le professeur et le pompier. Tous ces travailleurs sont exploités. Ils partagent l'idéologie anticapitaliste. Ils constituent une classe. Label scientifique!

Les ronds de jambe d'une prétendue conscience politique radicale qui aurait bien perçu le vrai jeu idéologique tiennent des guibolles de coton, du falbala intellectuel et d'une éthique feignante. Au fond, même la question d'une plus juste distribution des biens et services résiste mal aux pratiques réelles de bien des luttes revendicatives. On serait déçu d'une politique efficace en ce domaine, si elle faisait perdre des points et des dollars à sa propre catégorie. Voyez les rationalisations: « Nous sommes un syndicat militant, politisé, agressif... nous faisons avancer le mouvement ouvrier. » Tout est dit. Comme si le prix de certaines victoires « publiques » était totalement assumé par les gros capitalistes! Comme si la bonne « cause » transformait un égoïsme collectif en vertu politique. Tout le contraire, évidemment, du profit avoué par les entreprises privées. Et pourtant, c'est la même pratique, et pire encore, la même légitimation idéologique... encore plus trompeuse dans le second cas.

Un regard honnête sur l'univers social, mental et moral des classes moyennes permettrait peut-être de lever ces pièges, ou du moins, de mieux appréhender la réalité complexe de nos sociétés occidentales. Trop d'hommes de gauche en sont encore à des problématiques du XIXe siècle qui n'ont pas prévu l'énorme phénomène des classes moyennes créées tout autant par le socialisme que par le capitalisme, phénomène qui atteint peut-être son expression privilégiée dans les régimes socio-démocrates.

Etrange dénominateur commun au XXe siècle: dans le régime de Staline, dans l'Allemagne hitlérienne et dans les sociétés libérales ou social-démocrates de l'après-guerre, on a connu cette montée des classes moyennes par des voies aussi diverses.

Ici, même au Québec, nous avons vu qu'une nouvelle classe moyenne est peut-être le principal produit de la Révolution tranquille et de ses suites. Les nouveaux promus. Qui en parle? Pratiquement personne. Une évidence trop embêtante ?

Eh oui! un phénomène tellement ample, complexe, quotidien, pluriforme qu'on n'arrive pas à le cerner. Une situation tellement piégée par rapport aux discours idéologiques même les plus opposés qu'on n'ose l'éclairer? Déjà, le fait de parler des classes moyennes au pluriel, c'est marquer le caractère difficilement saisissable de cet ensemble hétéroclite un peu comme la grande cité moderne. Essayons de le comprendre un peu mieux.

De quelle diversité s'agit-il ?

Celle qui fonde le pluralisme d'opinions privées, d'écoles privées, de nuances politiques insignifiantes, d'apparentes divisions idéologiques profondes. A vue de classe moyenne, le professeur péquiste et son frère, administrateur et fédéraliste, se ressemblent comme des jumeaux. Le cousin permanent d'un syndicat socialiste aussi. Pas bête, l'idée du pluralisme pour qualifier les différences idéologiques dans une même sphère de style de vie, la moyenne !

Il y a quand même des réseaux d'appartenances, de relations, de statuts, d'idéologies qui distinguent les classes moyennes entre elles. Même si elles sont de même « famille » comme dirait feu Duplessis à propos des Québécois bleus et rouges. On peut même se demander si les polarisations idéologiques nouvelles commencent à briser ce pluralisme fraternel des classes moyennes qui s'entendaient relativement bien dans la vie sociale courante. Il arrive maintenant que certaines rencontres de parents, par exemple, deviennent difficiles à cause de ces nouvelles polarisations. Mais ce peut être un autre écran qui occulte la ressemblance de base en termes de consommation, d'habitat, de loisir, d'ambition, d'argent, d'aspirations individuelles et privées dominantes. Les discours diffèrent. Malgré ces tensions sur le terrain de golf, dans les hôtels à congrès, dans le même avion qui vole vers les îles, une secrète complicité du style de vie nous rassemble. On a même du *fun* ensemble. La situation moyenne a valeur de *melting pot,* de «pot mélangeur»... bon enfant. Après tout... on est six millions, il faut se parler. Le bon vin français aidant... plus raffiné, évidemment, que la bière prolétaire !

Il y a donc à la fois tensions et complicité commune, celle-ci non avouée. Je ne veux pas minimiser les tensions qui se sont renforcées récemment. Par exemple entre les membres syndiqués et non syndiqués des classes moyennes. Telle l'agressivité du petit commerçant face au professeur.

Tension entre les « moyens » du secteur privé et ceux du secteur public. Dans le choix des amis et des activités, on s'en tient souvent à son réseau.

Mais on sait quand même se retrouver dans certaines rencontres de type familial, religieux ou sportif. Après un premier moment de durcissement (je l'ai signalé plus haut) en certains milieux, on apprend la tolérance. Même les plus militants découvrent le danger, et aussi la non-rentabilité du dogmatisme. D'ailleurs, un certain style de vie urbaine invite plus à l'opinion qu'à la conviction. De plus, le réflexe fondamental des moyens, c'est de ne jamais aller au-delà de ce qui pourrait compromettre gravement le standing socio-économique et les habitudes de vie. Tout cela permet de relativiser en pratique les oppositions idéologiques et politiques.

Là où des seuils critiques se marquent davantage, c'est, d'une part, en relation avec le monde des petits salariés et d'autre part en relation avec celui de la *upper middle class.*

Les petits salariés ne font pas partie de ce jeu pluraliste. Ils le sentent; on leur fait sentir: « un petit ouvrier minable ».

Quand aux *uppers,* professionnels, hommes d'affaires prospères, cadres supérieurs, ils ont leurs clubs à part, leurs quartiers, leurs relations plus sélectives. Même un président de centrale qui a autant de revenus n'y a pas sa place.

Les remarques précédentes m'amènent à pointer ce qu'on appelle en langage courant « la petite classe moyenne », celle qui a commencé à « se sortir » du monde prolétaire: assistés, chômeurs et petits salariés. Dans cette petite classe moyenne, on a souvent deux jobs; on pratique une épargne serrée, austère; on investit l'avenir presque exclusivement à travers l'instruction des enfants et ses promesses. Cette classe comporte beaucoup de membres syndiqués, mais en même temps elle est antisyndicale, parce qu'on y compte plus sur ses propres efforts.

On est fier de ne pas avoir de dettes comme les gaspilleux d'en bas et d'en haut, fier de gagner sa vie honnêtement, courageusement. La sécurité est la référence principale. Mais une sécurité gagnée à bout de coeur et de bras.

Une autre ligne de partage des classes moyennes se trouve dans les choix de consommation.

—Ceux qui sortent beaucoup, boivent régulièrement du vin, voyagent à l'étranger, se paient un luxueux système de son, et une petite Renault, etc.

—Ceux qui épargnent, s'achètent une autre propriété, se bâtissent un chalet, tiennent à la grosse voiture familiale très propre, etc.

Là aussi peuvent exister deux réseaux. Et voilà pour la diversité. Mais n'y a-t-il pas une unité qui permet de faire entrer tout ce monde dans ce qu'on appelle les classes moyennes? Je le pense. Il y a ici une sorte de phénomène social total dans la ressemblance des pratiques et des aspirations par-delà les nuances de styles de vie et de consommation.

Un monde intégré... la nouvelle classe moyenne

Au même rendez-vous du centre commercial, de la copie conforme d'un certain bonheur commun. Les conversations se resssemblent, stéréotypées comme la publicité. Bouffe, inflation, vacances. Les charters populaires à Acapulco, c'est la grande fête des classes moyennes. On se reconnaît comme des frères de la même tribu consommante, avec le *rhum and coke* à la main, sous le même soleil. L'égalité des chances quoi ! (Quelques nuances dans les achats.) Mais si peu. Plutôt le potlatch ! A peu près tout ce monde est majoritairement syndiqué : un policier, un ouvrier de General Motors, une secrétaire de bureau, une infirmière, un curé en pastorale scolaire. Les nuances s'envolent par enchantement. Au fond, on est tous pareils. « Chanceux, tout de même, tu es célibataire, plus libre ! »

Mais, il faut voir ce qui se passe quand un prétentieux de la basse classe, un malappris, s'est glissé dans cette belle foire des citoyens moyens. Il saura vite qu'il ne fait pas partie du monde des intégrés. Car la copie conforme est exigeante : être en santé, pas laid, *up to date,* pas trop original, un peu libertaire, capable de crédit, modérément nationaliste ou fédéraliste, très indépendant en principe, mais conforme au tonus du groupe, chaleureux en épiderme. La moyenne en tout.

Des convictions trop fermes, surtout quand elles sont affirmées, agacent et menacent ce monde d'opinions, de modes, de prêts-à-penser et à-porter. Bien sûr, on acceptera une colère par-ci, par-là, surtout contre le gouvernement, ce lieu commun de toutes les insatisfactions, peu importe si en même temps on en fait une vache à lait. Le maximum des ressources publiques au service du maximum de bien-être privé. Le capitalisme populaire légitimé par une idéologie commode de pensée socialisante et de justice collective !

J'insiste sur ce fait, parce qu'il est le révélateur par excellence d'une attitude individuelle et collective qui déborde l'aire des classes moyennes, mais s'inspire de celle-ci. *Les nouveaux promus de la Révolution tranquille* donnent le ton au reste de la société. Cette nouvelle classe s'est approprié les avantages des nouveaux instruments publics d'affirmation collective souvent en se justifiant par une idéologie progressiste chargée d'ambiguïtés, tels des intérêts inavoués. Evidemment, il est dangereux de tout ramener à des critères moraux d'égoïsme, de soif de pouvoir, etc. Les orientations à revoir dépendent de bien d'autres facteurs. Mais ce n'est pas une raison pour ignorer certaines responsabilités, certaines complicités.

Les chiffres des diverses études sur notre situation économique concordent : malgré tous ces mouvements dits libérateurs et socialisants, l'écart n'a pas changé, il a même grandi. La structure des salaires est même plus aberrante et plus artificielle. Et que dire des conditions de travail et de sécurité. Les petits salariés sont plus déclassés que jamais... et les assistés donc. Un certain discours idéologique des Centrales, ponctué de problèmes prolétariens et d'appels à une justice radicale, réussit à cacher l'énorme voracité des classes moyennes syndiquées. Comme consultant dans certains milieux de travail « publics », j'ai été témoin de multiples revendications incroyables, appuyées par le syndicat, et au nom du « droit ». Par exemple, exiger d'être payé en temps supplémentaire pour des lectures « utiles » faites à la maison. Un exemple entre mille.

Les nouveaux promus ont développé mille et une stratégies pour utiliser à fond les services publics à leurs avantages, les mesures sociales... l'assurance-chômage. Avec la complicité du mouvement syndical qui s'installe de plus en plus dans une situation politique schizoïde. D'une part, discours et manifestations tous centrés sur certains cas flagrants d'injustice dans le secteur privé, et par ailleurs une quotidienneté syndicale au service de la nouvelle classe moyenne. C'est particulièrement frappant à la CSN et à la CEQ massivement aux mains des nouveaux promus de la Révolution tranquille.

Autre ironie de la comédie humaine que ce divorce du privé et du public, aussi accusé, sinon plus, dans un mouvement historique qui a la vocation de le surmonter. Un vice idéologique ignoré, volontairement ou pas, par ceux qui s'en prennent à l'exploitation par l'entreprise privée, et qui utilisent les services publics comme un bien privé. *L'administrateur, le syndicaliste et l'usager de la classe moyenne ont en commun cette attitude de fond.* Une sorte de double registre inversé, où l'on passe par le « public » pour assouvir ses intérêts privés. Une mystification d'autant plus subtile que, chez nous, la voie publique est conçue comme lieu d'émancipation collective. L'entreprise privée étant aux mains des autres, il resterait l'Etat et ses services comme levier privilégié et obligé. Mais, dans les faits, cet Etat est devenu la manne des promus des nouvelles classes moyennes, comme des anciennes. Notables, postiers et militants de gauche se retrouvent à la même table pour se disputer le gâteau.

Duplessis agissait différemment ! Ce qu'il distribuait aux patroneux, aux fidèles du régime, aux grosses compagnies, la *nouvelle classe moyenne se l'approprie avec tous les honneurs de la pureté syndicale, de la voie démocratique, du fonctionnariat au service du peuple ou du club social généreux.*

II — Trois interprétations

Je ne voudrais pas ignorer ici trois interprétations différentes de ce que sont les classes moyennes.

1. Les classes moyennes seraient le lieu d'*équilibre et de santé* de la société. Là où on trouve les citoyens *responsables, besogneux, fiers.* Le point d'appui de l'ensemble quoi !

Les classes moyennes sont la preuve des possibilités d'amélioration, de *mobilité* ascendante dans la société libérale ouverte et dynamique. Notre société traditionnelle se divisait entre une petite élite privilégiée et une masse pauvre sans espoir. Ce n'est plus le cas aujourd'hui. La démocratisation de l'école, des services a joué un rôle important. D'où l'intérêt des classes moyennes pour ces secteurs. On prend l'*éducation au sérieux* dans ces milieux. Un autre signe de santé et de qualité.

Motivation et progrès sont la marque de ces gens qui misent sur leur travail, sur leur éducation, sur leur volonté d'avancement, sur le renouvellement de leur compétence. Ils soutiennent la société par leur labeur comme par leurs taxes (la plus grosse part des revenus gouvernementaux). Ils seraient tout ce qu'il y a de meilleur, de plus responsable dans la population.

Tampon précieux pour éviter les extrêmes, pour assurer un rythme évolutif judicieux, une saine modération soucieuse à la fois de continuité et de progrès, de stabilité et d'initiative. C'est ce monde fluide qui permettrait l'alternance des partis au pouvoir et l'équilibre du jeu démocratique. Une politique du centre quoi! Voyez ce qui se passe dans les pays libéraux ou socio-démocrates où les votes se divisent souvent moitié-moitié. Sagesse des classes moyennes, qui veut éviter une emprise trop forte de l'Etat, du pouvoir politique et même du pouvoir économique.

Milieu très socialisé, très actif dans les associations, les syndicats, les services. Les principaux tissus sociaux dépendent en grande partie de la participation des classes moyennes, alors que les classes populaires sont relativement peu organisées. Par ailleurs, le milieu ouvert des premières accueillent de plus en plus les secondes.

Les classes moyennes ont assimilé assez bien la *culture urbaine.* Telles ces distinctions entre vie privée et vie publique, travail et famille. Deux pôles aussi forts l'un que l'autre, malgré leurs tensions difficiles.

Bref, voilà le *principal point d'appui,* et l'étalon-or de notre société qui se définit de plus en plus en fonction des classes moyennes.

2. Une autre interprétation ne l'entend pas ainsi. Les classes moyennes seraient un *écran mystificateur.* Un double écran à vrai dire. Le premier incite à penser que le monde populaire est mal pris de par sa faute, de par ses irresponsabilités. Car il y a d'énormes possibilités d'avancement, de mobilité. La preuve: «voyez, nous en sommes sortis, nous avons réussi».

Deuxième écran. Les classes moyennes, en occupant presque toute la place, font oublier les grandes oligarchies financières et politiques. « Voyez, les administrateurs sont des salariés comme nous, aussi taxés que nous. Le régime actuel empêche la constitution de grosses fortunes privées. Nous avons la liberté de changer le pouvoir politique. »

Mais le plus grand reproche adressé aux classes moyennes, c'est de ne pas vouloir vraiment changer les règles du jeu, de masquer les enjeux les plus cruciaux à la base et au sommet de la société. Un monde d'entre-deux artificiel quoi! Mais en même temps, *un monde du statu quo.* Un monde à la fois sécuritaire, et très vorace dans ses appétits. Un monde sans passé, ni avenir, sans densité culturelle et sans sérieux politique. Un monde insignifiant, plat, incapable de risque, d'histoire, de vrai dépassement. Un monde d'opinions et non de convictions. Un monde conformiste, superficiel qui réduit sa philosophie à « une bonne santé », à un confort fait de choses. Et surtout un monde qui déçoit la génération montante, qui est incapable de lui offrir des motivations profondes, des objectifs humains valables. Bref, c'est *l'univers de la banlieue stéréotypée,* ni de la ville et ni de la nature, ni de l'histoire et ni de l'avenir; on ne peut compter sur les classes moyennes pour affronter les grands défis d'aujourd'hui.

Les pouvoirs politiques et économiques ont su courtiser les classes moyennes pour se les asservir. Face à un discours critique qui commence à révéler le virage à droite des classes moyennes, des ministres et des hommes d'affaires flatteront celles-ci en soulignant leur « générosité », leur « volonté de progrès ». Car elles sont l'assiette électorale principale de la démocratie libérale, le grand potentiel d'une consommation qui soutient la machine productrice et ses propriétaires. Quant au silence de la gauche, il révèle qu'elle aussi est massivement de ce monde des classes moyennes.

3. Une troisième interprétation déjà signalée pointe davantage l'aboutissant de l'évolution historique des classes moyennes dans la société libérale. Celles-ci constitueraient un *lieu normatif pour l'ensemble de la société,* ou à tout le moins une médiation clé dans le fonctionnement de la cité capitaliste. Le schéma ci-dessous tente de cerner son rôle plus spécifique d'intégration culturelle qui sert de repère aux classes inférieures.

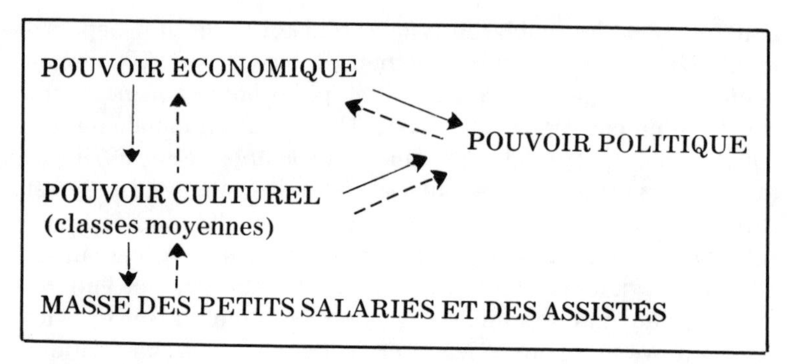

Le rapport en pointillé exprime la dépendance. L'autre marque la direction de l'influence. Ainsi le pouvoir économique est prépondérant. Pour sa croissance, il impose une réponse d'adaptation à l'Etat et au pouvoir politique et une réponse d'intégration aux classes moyennes. Celles-ci jouent leur rôle politique de médiation en conséquence, tout en devenant l'idéal à atteindre chez les classes infériorisées. Voilà une position clé pour l'intégration de la population, pour l'intériorisation de l'idéologie politique dominante, pour le rapport offre-demande soumis au pouvoir économique.

La « copie conforme » devient ainsi un creuset d'homogénéisation, une sorte de joint universel pour l'ensemble du système social et de ses fonctions privilégiées en régime capitaliste: concentration et croissance du pouvoir économique, adaptation conséquente de l'Etat et intégration correspondante par les classes moyennes. Notons l'apparente ambiguïté de celles-ci, particulièrement en relation avec le pouvoir politique. En effet, elles en sont à la fois le moule et la courroie de transmission. Rien ici d'illogique puisque l'intérêt, en l'occurrence, va dans les deux sens.

Voilà donc trois interprétations qui ont leur part de vérité et manifestent la complexité de notre société actuelle. Pour aller plus loin dans la saisie du phénomène, je suggère une typologie plus large, plus diversifiée. Je retiens quatre catégories: les familiaux, les clubards, les libertaires, les militants.

III — Les divers types

Les familiaux

Tout l'intérêt est centré ici sur la famille, l'éducation des enfants, la promotion à travers eux. Le style banlieusard s'y prête à merveille avec ses conditions d'habitat conçues en fonction de l'unifamilial, de la famille nucléaire. Les enquêtes sur l'échelle de valeurs en ces milieux placent les réalités domestiques, privées au premier plan. Les valeurs collectives, publiques, politiques doivent être au service du succès familial. Certes le métier ou la profession ne sont pas sous-estimés, mais c'est toujours en fonction de la promotion des siens, de l'entreprise familiale.

D'abord centre socio-affectif à base de confort matériel, la famille banlieusarde résiste aux forces centrifuges de la ville éclatée dans ses principales institutions. Elle apparaît comme un des rares lieux d'intégration des diverses dimensions de la vie. Ici au Québec, elle s'appuie sur une profonde continuité historique. La seule peut-être, puisque l'appartenance religieuse s'est relâchée dans bien des cas. Certains y voient le dernier rempart de résistance face à un monde qui se défait, face à la destructuration de la base sociale des institutions, y compris l'école, face aussi à la disparition des tissus sociaux.

Mais les familiaux connaissent de très fortes tensions. La génération montante semble refuser ce divorce du privé et du public, cette domestication. Plusieurs jeunes fuient le foyer. Ils étouffent dans le noeud trop serré et trop restreint de ces relations affectives concentrées. Même la parenté d'hier offrait un éventail plus large de rapports socio-affectifs. La famille nucléaire de banlieue est un clan miniaturisé, très artificiel malgré les apparences de solution naturelle et fondamentale.

On pourrait croire que ce contexte unifamilial se prête à des unités sociales typifiées, originales. Or, c'est exactement le contraire. Le conformisme s'impose en tout, jusqu'au dernier gadget sur le marché. Il y a historiquement une sorte de continuité entre le travail à la chaîne, le centre commercial uniforme, la publicité homogénéisante, la télévision omniprésente, la standardisation du langage et des outils et l'univers de la banlieue. Production, consommation et culture de masse dans une ruche aux alvéoles identiques.

Le succès inouï de *marriage encounter* au Québec, même si cette expérience est intégralement américaine, montre bien jusqu'à quel point, nous sommes ici dans un univers aussi standard que les centres commerciaux de San Francisco à Montréal.

Mais tout ne tient pas ici du jardin d'Alice au pays des merveilles. Il y a de profondes ruptures de générations. Face à leurs adolescents, bien des parents se disent d'un autre monde. Les mêmes mots ont souvent des significations opposées. Certains, non sans raison, soutiennent que ces crises familiales explosives ne sont que transitoires, parce que les jeunes adoptent vite les modèles de comportement des classes moyennes, dès qu'ils entrent sur le marché du travail. Mais la famille banlieusarde connaît de trop graves problèmes pour admettre un optimisme facile et superficiel. Optimisme qui sert souvent de consolation idéologique dans ce monde-là: quelques bonnes recettes psychologiques devraient suffire. Combien de « familiaux » pensent ainsi. La quête d'une bonne stratégie de relations humaines télescope des questions aussi cruciales que celles des rapports sociaux entre homme et femme, parents-enfants, classes moyennes et autres classes. Ce qu'ignorent les thérapies à la mode, les « encounters » de tout gabarit.

Les clubards

Les *clubards* empruntent beaucoup à un style social très poussé en Amérique du Nord: le club semi-privé, semi-public. Lieu d'appartenance libre, amicale, fluide. Lieu qu'on veut apolitique. Lieu où on se crée des relations précieuses. Lieu où l'on trouve une certaine homogénéité de goûts et d'intérêts. Le club vous intègre spontanément si vous rencontrez au départ ses normes. Il est exclusif, sans en avoir l'air. Très démocratique, mais entre pairs. Il est entre la caste et le clan. Un autre modèle de base qui évite les deux références précitées, peu acceptables dans un monde dit libre, ouvert, tolérant, démocratique, sécularisé. Son contexte de liberté masque son caractère souterrain d'exclusivité. Vous n'y restez pas longtemps, si vous n'avez pas la couleur, la nuance parfois subtile de la mentalité du groupe. Solidarité horizontale des statuts semblables.

Dans les classes moyennes, les clubs prolifèrent. Ma petite ville de 35 000 habitants en compte une bonne trentaine. Les clubs sont plus sélects, restreints et exclusifs à mesure qu'on monte dans l'échelle sociale.

Le club, c'est aussi un style de rencontre, de rapport, de vie collective. Le succès inouï des clubs en milieu québécois, en dépit d'une conception souvent américaine, est un signe évident de notre acculturation à ce modèle particulier.

Je constate aussi que des paroisses, des unités syndicales locales, des regroupements populaires s'inspirent beaucoup de ce style clubard.

Socialement, on pourrait parler ici de solidarités soit «intéressées», soit compensatoires. Les premières sont des lieux pour favoriser l'ascension sociale et économique, pour se créer des relations précieuses, quitte à ajouter des finalités superficielles et secondaires de générosité envers les pauvres. Les secondes viennent élargir le cercle restreint d'une vie surtout privée, d'un égoïsme individuel décevant, atonique, et même un peu culpabilisant. On cherche alors une assise sociale pour combler le besoin d'une vie communautaire plus riche, mais peu engageante ou gênante, donc avec ses pareils qui eux aussi ne veulent pas être trop dérangés. C'est donc le simple prolongement, l'élargissement d'une psychologie «privée» qui fuit les tâches et les enjeux publics les plus décisifs de la cité. Actif dans son club, sa paroisse ou son école privée, on se croira un citoyen honorable, motivé, socialisé.

Les libertaires

Ils vivent surtout dans les maisons d'appartements. Ils fréquentent davantage le centre-ville. Ils voyagent beaucoup. Célibataires ou couples sans enfants en majorité. Le travail et ses revenus servent d'abord à « faire des choses le fun », particulièrement le week-end. Le libertaire fonde son minimum de stabilité sur le métier ou la profession. La rencontre du groupe de copains est souvent le principal centre d'intérêts. Groupe souvent éphémère, instable, constamment à refaire avec de nouvelles relations.

Les libertaires sont à la mode ce que les familiaux sont à la copie conforme. On dépense beaucoup dans ce monde-là. Il faut être *up to date* en tout. Dernière coupe, dernier trip prestigieux, dernier film.

On s'intéresse à la politique sans s'y impliquer. On utilise l'assurance-chômage sans vergogne. On se désintéresse des copains ou copines trop décalés ou malades. On change de partenaires.

Le projet individuel l'emporte sur tout le reste, et cela jusqu'au coeur même du travail où l'on est extrêmement exigeant pour obtenir le maximum de flexibilité, de non-contrainte. Les vacances annuelles ne suffisent pas. Par mille et un subterfuges on prend congé à son gré, peu importent les conséquences institutionnelles de ces absences impromptues, plus ou moins longues. Beaucoup de libertaires travaillent dans le secteur public, qui offre plus de possibilités de liberté.

Les libertaires, malgré tout cela, ne semblent pas plus heureux que les autres. Il leur manque un lit de vie un peu plus stable, une continuité plus concrète dans le temps, un enracinement vital. Leur existence est elle-même un *no man's land.* D'où ce fréquent recours à la thérapie pour surmonter une angoisse flottante, indéchiffrable. Un libertaire me disait: « A 35 ans, j'ai déjà le coeur usé, fatigué de tant d'à-coups, d'expériences inachevées, de relations brisées, de recommencements incessants. Je suis de nulle part, sans avant ni après... le vide quoi ! Et pourtant je fais mille et une choses intéressantes. J'ai toutes les conditions en main pour être heureux... Je suis l'abondance malheureuse, la liberté angoissée, le bonheur sans âme. Et dire que les gens de famille m'envient. »

Les militants

Dans les classes moyennes, certaines causes sont privilégiées. Le portrait général de celles-ci révèle une mosaïque disparate, éclectique.

A. Tout se passe comme si la «cause poursuivie était une façon de chercher une identité, une originalité qui fasse contrepoids à la conformité et à l'homogénéité du style de vie et d'un contexte social standardisé. Voilà un phénomène mal perçu, presque ignoré dans les sciences sociales qui ne crèvent pas d'imagination ! Sciences aussi ritualisées que la vie standardisée.

B. La plupart des militants des classes moyennes jouent inconsciemment sur un double registre, à savoir un jeu idéologique souvent étranger ou même contradictoire par rapport au jeu social quotidien. Qu'il s'agisse d'une cause de droite ou de gauche, d'une cause traditionaliste ou utopiste, il y a souvent fausse conscience et absence de cohérence entre le discours et les pratiques réelles. Ce qui interroge le diagnostic positif qui décrète la santé et le bon sens des milieux moyens.

Essayons de sonder l'hypothèse que je viens de formuler selon cette double approche.

1. Les militants syndicaux

Je m'en tiens à ceux des classes moyennes. D'ailleurs, ils sont les plus nombreux dans cet univers de l'organisation du travail, malgré un discours officiel ouvriériste et prolétarien. Leur idéologie syndicale est aussi inconditionnelle que la foi dite unanime d'hier. Pas question d'autocritique. On le comprend facilement. Les contradictions internes au syndicalisme sont peut-être les plus scandaleuses. En effet, quand vous vous faites champions de la justice, vous admettez plus difficilement vos pratiques contraires. Le bon petit banlieusard de droite qui se dit ouvertement « capitaliste » est plus cohérent dans son discours et sa vie. Son voisin syndicaliste de gauche et du secteur public, permanent ou militant, fera tout pour museler sa mauvaise conscience. Ainsi, parler de classes à l'intérieur du monde des travailleurs, c'est compromettre la solidarité syndicale, c'est faire le jeu du pouvoir, c'est entretenir une mentalité antisyndicale dans la population, c'est briser l'unité politique socialiste. Des rationalisations précieuses pour oublier soi-même qui on est, ce qu'on gagne, où l'on habite, ce qu'on revendique pour soi.

La pureté de la Cause est un écran précieux. Elle dramatise dans les media les injustices ouvrières les plus indéniables, mais négocie à huis clos un maximum d'avantages pour les groupes syndiqués de classes moyennes. Les congressistes de la CSN vont manifester à la porte d'une usine en grève, pendant que les bureaucrates et les stratèges syndicaux d'une fonction publique surprotégée et surpayée forcent la main aux administrateurs gouvernementaux qui n'ont pas aux yeux du public le mérite d'être les défenseurs du prolétariat comme la CSN et la CEQ. L'Etat répressif qui tolère les fermetures d'usine doit avoir mauvaise conscience et donner à ses propres employés le maximum pour obliger les capitalistes à le suivre! Une stratégie d'abord payante pour les fonctionnaires syndiqués.

Les pouvoirs politiques et économiques méritent d'être démystifiés, mais pas le pouvoir syndical parce qu'il est démocratique, entièrement consacré à la justice, à l'égalité. Ce n'est pas, à vrai dire, un pouvoir mais un service, une foi, une émanation du peuple plus sûre que ne l'était hier l'autorité venue de Dieu.

Les militants syndicaux les plus inconditionnels se recrutent surtout à la CSN et à la CEQ, massivement de classes moyennes. Cette adhésion quasi religieuse à l'absolu syndical ne trompe plus personne. D'où l'agressivité de plus en plus répandue dans la population. Chez les classes moyennes, on est prosyndical pour ses intérêts, et antisyndical quant aux intérêts des autres. Le cercle vicieux est parfait. Mais la contradiction est encore plus flagrante chez les syndicalistes du secteur public qui cachent leurs intérêts privés derrière un discours de bien public. Ils dénoncent la propriété privée et s'approprient la propriété publique comme leur bien privé. Voyez les cégeps publics en tous points semblables aux cégeps privés. C'est le pouvoir aux professeurs qui est visé dans un cas; et, dans l'autre, le pouvoir d'un groupe de parents et d'administrateurs.

Notre hypothèse formulée plus haut n'est pas gratuite.

2. Les militants politiques

Comme les militants syndicaux, les «politiques» souvent «ne font que ça». Au travail et dans les autres secteurs de vie, ils consacrent leurs principales énergies à la Cause péquiste, libérale ou syndicalo-socialiste. Leur boulot est secondaire. Parfois leur famille aussi. La politique a remplacé la religion chez eux. On trouve un phénomène semblable chez plusieurs féministes qui se recrutent presque en totalité dans les classes moyennes.

Le discours est souvent univoque, unilatéral, dogmatique, missionnaire. Je dis d'abord discours, parce que la politique chez nous est avant tout affaire de parole, de plaidoyer et de thèse. «Pas de foi, sans prédication», a-t-on appris de la chrétienté toujours vivante, mais sous mode laïque, cette fois.

Encore ici, les intérêts ambigus de sa propre classe doivent être dépassés par une logique irréfutable. Et le génie latin aidant, on saura fort bien se construire une synthèse idéologique évidente surtout à ses propres yeux.

On s'interroge peu sur le type de pouvoir qui correspond à cette logique unitaire ... et totalitaire.

Contraste d'autant plus frappant que la vie des classes moyennes est particulièrement faite de compromis pour assurer au maximum les possibilités d'ascension sociale, de promotion professionnelle. Mais le jeu politique, chez nous notre seule industrie nationale, constitue un monde en soi qui n'a rien à voir avec la pratique quotidienne. C'est plutôt le parlement qui est convoqué à la cafétéria, au bar, à la ligne ouverte ou à la table. En un rien de temps, les problèmes sont reportés au gouvernement par media et états-majors interposés. Que connaissions-nous d'autre de la CEQ que son président qui contestait le gouvernement et ses politiques ?

On parle beaucoup de polarisations idéologiques nouvelles, mais bien peu des pratiques politiciennes qui ont peu évolué chez l'ensemble des militants politiques. Notables et politisés syndicaux pratiquent souvent les mêmes manoeuvres de manipulation. Et dire qu'on prétend s'être débarrassé d'un certain passé. Récemment des militants syndicaux fonctionnaires ont paralysé l'activité parlementaire, non pas pour défendre les chômeurs ou les assistés sociaux, mais pour promouvoir les intérêts de la nouvelle classe qui ne se gêne pas pour siphonner à son profit le maximum des ressources publiques.

3. Les militants religieux

Un certain renouveau religieux est en train de se produire dans les classes moyennes. Il répond à un besoin d'intériorité face à la standardisation superficielle d'une vie toute en surface, face au matérialisme confortable qui a déçu, face au désir de réenracinement dans une histoire abolie par le culte du flash, de l'instantané, par un style urbain haché, segmentarisé et très agité.

Ce renouveau comporte à la fois un retour à la tradition d'ici, et une fraîcheur spirituelle nouvelle qui n'existait pas dans le ritualisme de la chrétienté. Mais d'aucuns se demandent s'il a changé vraiment la vie de ces nouveaux convertis. Le mouvement est peut-être encore trop jeune. Chance aux coureurs ! Mais ce n'est pas une raison pour éviter de discerner les ambiguïtés.

Par exemple, des parents exigent la confessionnalité des écoles, mais ne semblent pas savoir très bien quelle éducation chrétienne donner à leurs enfants à la maison. N'est-ce pas hypothéquer une cause au départ ?

Les nouveaux convertis s'en prennent à la société matérialiste où l'on ne croit plus à rien. Eux, ils voient Dieu partout dans leur vie. Un Dieu qui intervient sans cesse. Ce néo-providentialisme pourrait bien être une façon de masquer la pauvreté d'une conscience individuelle qui est passée de la tradition religieuse à la conformité sociale, sans faire l'expérience profonde d'une responsabilité personnelle cultivée, d'un jugement moral autonome et mûr, d'une foi agissante à même le style de vie et les pratiques quotidiennes. D'où le danger d'une idéologie religieuse compensatoire à plusieurs titres. En pareil cas, ni la vie réelle ni la foi authentique n'y trouveront leur compte. Les vraies pratiques viendront à bout de cette nouvelle conscience religieuse surimposée à une mentalité courante inchangée.

Il est étrange, par exemple, d'entendre ce discours fréquent dans ces milieux: «Je n'ai plus de problème, je suis redevenu optimiste depuis ma conversion. L'Esprit va faire découvrir ces choses à la plupart des gens.» Un jardin d'Eden en plein Babel urbain. La dramatique prophétique du christianisme mord autrement sur les vrais problèmes de la cité. Comment ne pas flairer ici une fuite, un court-circuitage de la responsabilité humaine historique pour changer effectivement la vie? Aussi la «cause» s'enferme dans une oasis, authentique parfois, mais elle ignore le désert qui l'entoure, comme s'il allait être fécondé sans aucune intervention humaine. Nouvelle version du vieux gnosticisme. Cette idée nous amène à une autre catégorie parente.

4. Les militants utopistes

Différentes causes s'emmêlent ici: l'une ou l'autre spiritualité orientale; le retour à la nature et à l'animisme religieux primitif; l'éco-utopie des solutions écologiques, panacée de tous les problèmes modernes; les OVNIs, les solutions extra-terrestres. On désespère de résoudre les défis très concrets de sa cité et c'est la fuite...

Autant de mystiques qui se passent de politique. Elles auraient une vertu thérapeutique universelle! Elles se présentent souvent comme justifiables scientifiquement. Elles se disent la vraie synthèse qui réconcilie la matière et l'esprit, le cosmos et l'histoire, la conscience et la vie. Synthèse vitale, pacifiante, unitaire au-dessus d'un monde déchiré et bloqué.

Une sécurité matérielle en recherche de son correspondant spirituel : la sécurité intérieure ?

Une vision cosmique éthérée qui se substitue à une histoire humaine responsable de son présent et de son avenir ?

Une cohérence de l'esprit pour compenser les incohérences d'une vie urbaine divorcée de mille et une façons : habitat et travail, privé et public, semaine et week-end, niveau de vie et qualité de vie, culture et économie, sécurité d'emploi et travail libre ?

Je pourrais allonger cette liste presque indéfiniment, tellement se sont accumulées les contradictions. Contradictions qui secrètent angoisse et impuissance au point de déclencher des mécanismes de sécurisation et de fuite. Serions-nous déjà loin des efforts pourtant récents de libération et d'affirmation collective à même la volonté de bâtir une nouvelle société ?

Que de chemin parcouru entre le début des années 60 et l'orée de la décennie 80. L'utopisme multiforme exprime peut-être le vertige d'une liberté mal digérée et d'une pratique de changement peu maîtrisée. Cet utopisme tente aussi de réconcilier artificiellement le maximum de sécurité et les hyper-aspirations que les succès du XXe siècle ont débridées. On ne compte plus les fausses espérances quotidiennes, de la loterie jusqu'aux revendications les plus farfelues, en passant par l'astrologie, le panthéon sportif, la drogue, la publicité, le spectacle télévisé et la carte de crédit. Bref, une foule de décrochages de la réalité, qui pourraient bien être le pendant d'une société abstraite, d'une organisation anonyme et de rapports purement instrumentaux. Plusieurs formes modernes de violence gratuites n'y sont pas étrangères. A témoin, ces militants utopistes qui ont débouché là. A l'extrême droite ou à l'extrême gauche.

IV — Conclusions provisoires

J'ai adopté délibérément un point de vue critique, parce que le monde des classes moyennes exprime peut-être le mieux la situation d'une société libérale qui n'arrive pas à se distancer sur elle-même pour se voir telle qu'elle est. Certes les sociétés closes des régimes totalitaires connaissent de plus redoutables défis. Mais il y a plusieurs façons de s'enfermer dans un système social, dans un corridor idéologique et même dans un style de vie. Je retiens ici l'idée de la « copie conforme » du bonheur moyen de l'homme moyen. Elle galvanise, abolit pratiquement cette prétendue nouvelle polarisation idéologique, et aussi ce superficiel pluralisme du monde dit libre. A gauche, à droite ou au centre, chez la majorité des citoyens, nous sommes tous conviés au même rendez-vous de besoins et d'aspirations surtout définis par des centres commerciaux identiques partout, par le même modèle universel de la techno-bureaucratie aux mains d'une nouvelle classe semblable d'un bout à l'autre de la planète. Les différences ? Il m'arrive de penser que c'est une affaire de degré plus ou moins avancé du même processus dans divers milieux et pays. A tout le moins, cela vaut pour les sociétés libérales occidentales.

Face à d'énormes tâches historiques, ici et ailleurs, ce substrat commun peut-il permettre un élan courageux et lucide, une volonté politique entreprenante et soutenue, une mobilisation qualitative de la génération montante? Et si c'était vrai que les riches sociétés libérales sont devenues un monde repu, raffiné, décadent et sceptique! Et si c'était vrai que les classes moyennes sont un modèle inédit d'une des domestications les plus subtiles de l'histoire... il faudrait bien y voir de plus près !

Conclusions
Obstacles et dynamismes intérieurs

Tout se passe comme s'il y avait superposition de trois grandes couches d'expériences et de références dans le cheminement actuel du Québec.

1 — D'abord le débat sur l'avenir du Québec et du Canada. Il occupe la plus grande place dans le discours public.

2 — Puis, le jeu institutionnel interne surtout marqué par les affrontements entre le gouvernement, les syndicats, le patronat, les municipalités, les commissions scolaires, etc. Au coeur du chassé-croisé de tous ces tirs, les conflits de travail sont de tous les créneaux. Reconnaissons ici au syndicalisme le mérite de pointer deux problèmes majeurs, à savoir l'évolution interne de la société québécoise et la dépendance économique croissante que les principaux scénarios politiques du premier palier laissent en veilleuse. Mais au bilan, la question monétaire liée à l'inflation galopante et au standard de vie qu'on veut maintenir reste au centre de tous les enjeux de ce palier.

3 — Enfin, une profonde révolution culturelle qui s'exprime d'abord et avant tout dans les pratiques quotidiennes individuelles et privées, dans les milieux de vie et de travail, dans cette énorme panoplie d'expériences psychologiques, sociales, culturelles et religieuses hors des grands circuits institutionnels. C'est à ce palier que la plupart situent le centre de gravité de leur aventure et la quête de significations qui font vivre. Prendre en main

sa propre vie... et lui soumettre tout le reste. On définit le droit, les structures, la politique, et même le syndicalisme à partir de là. A ce niveau de quotidienneté, débats politiques et batailles de structures cèdent à la redéfinition des expériences de base: gestion personnelle d'un temps et d'un espace à soi; aménagement de son travail et des loisirs; projets de vie et de carrière avec leurs investissements nécessaires en éducation; raffinement de la consommation, de l'habitat, du style de vie; révision des rapports homme-femme, parents-enfants, etc.

Est-ce contrepoids face aux solutions d'en haut des deux autres paliers? Il y a sans doute plus... peut-être un renversement de perspective. Mais que d'ambiguïtés, de fausses pistes et de contradictions accompagnent cette révolution! La nouvelle classe née des grandes réformes récentes en est un révélateur privilégié.

Une tragique imposture

Cette nouvelle classe légitime ses revendications et ses statuts par les aspirations explosées de notre révolution culturelle; aspirations érigées en droits, peu importe si les 450 000 assistés sociaux, les 342 000 chômeurs, les 280 000 petits salariés et un bon nombre des 310 000 retraités en sont à des besoins qui infèrent de vrais droits, beaucoup plus vitaux et fondamentaux en tout cas. Cela dit, il n'est pas question de minimiser l'importance d'améliorer la situation des petits salariés du secteur public. Mais, encore là, il ne faut pas laisser entendre que la majorité des salariés ont individuellement la charge d'une famille de quatre personnes. Le salaire doit se situer dans un ensemble de mesures qui devrait s'orienter vers le revenu garanti, en tenant compte du double salaire qui souvent entre à la maison, et aussi des plus lourdes charges de certaines familles.

Mais ce que nous retenons ici, c'est le subterfuge de la nouvelle classe qui utilise ce fer de lance pour obtenir d'autres avantages disproportionnés à son profit, pour réduire toujours plus ses heures de travail, pour grossir un régime de retraite déjà très coûteux, pour obtenir une foule d'autres avantages. Bref, des exigences hors d'atteinte pour notre potentiel économique. Peut-on étrangler plus efficacement une société ?

La nouvelle classe légitime donc ainsi son statut socio-économique; elle prélève d'immenses ressources au grand dam à la fois de plus justes politiques sociales, mais aussi d'investissements économiques créateurs d'emplois pour les chômeurs; dans sa branche radicale et socialisante, elle se dit locomotive pour le relèvement de salaire des petits, pour la libération du capitalisme qui exploite les travailleurs du secteur privé. A quoi bon investir dans des projets industriels, puisque tout cela va aller dans la poche des gros ? Donc, investissons dans le secteur public. Quelle aubaine ! La nouvelle classe va y bénéficier à plein, avant tous les autres et pendant longtemps, puisque ses droits acquis, sa force de chantage la prémunissent des aléas de la récession économique.

Du coup est occulté l'énorme heurt entre les aspirations débridées de la révolution culturelle évoquée plus haut et la dégradation de notre structure économique de base. Pendant que la nouvelle classe se nourrit d'une tertiarisation cancérigène et artificielle constituée comme un monde en soi, on assiste à une concentration économique des forces capitalistes qui n'ont rien d'autochtone et à l'impuissance accrue des travailleurs du privé, soit face à ces nouveaux conglomérats, soit face aux petites entreprises déclassées. Certains militants syndicaux ont bien vu ce dernier problème, mais ils font fausse route en jouant le jeu de la nouvelle classe qui se décrète locomotive de libération et qui masque dans les faits un des drames majeurs de notre société.

La part du lion que se réserve la nouvelle classe, c'est un peu la boucle des cercles vicieux de notre sous-développement. Une sorte d'étranglement qui est autrement plus grave que le noeud gordien Québec-Canada. Souverainisme ou fédéralisme renouvelé laissent entier ce problème interne. On accuse le Parti québécois d'agir parfois comme si les Québécois avaient déjà décidé. Or, la nouvelle classe, un peu de la même manière, se comporte comme si nous étions la société occidentale la plus riche, en réclamant presque tous les avantages des différentes sociétés développées. En ce domaine, les branches libérales, nationalistes ou socialistes de la nouvelle classe font preuve de la même irresponsabilité et du même égoïsme.

Hypothèses d'avenir

Bien sûr, dans le contexte d'une inflation galopante, à peu près tout le monde peut justifier ses revendications. Mais il faut anticiper dans quelle situation nous allons nous trouver s'il y a, d'une part, une nouvelle classe totalement protégée de tous les aléas économiques, jusqu'à la sécurité d'emploi, et une masse de citoyens directement déclassés par une dégradation économique plus poussée chez nous que chez nos voisins.

Sur ce fond de scène aberrant, mal clarifié par les divers establishments qui ont des raisons différentes pour ne pas en parler, quelle sorte de choix politiques la population va-t-elle faire? Il se peut que la voie nationaliste si proche de nos sensibilités historiques devienne la principale soupape de ce sentiment d'être coincé. Les radicaux qui veulent le socialisme avant la souveraineté auront fait un mauvais calcul. Et les nationalistes eux-mêmes se feront illusion en prenant pour une nouvelle dynamique historique un vote qui serait dans plusieurs cas, une protestation qu'on ne sait pas où loger.

Il est une autre hypothèse d'avenir plus plausible, c'est la volonté de maintenir à n'importe quel prix le standard et le mode de vie nord-américains, au prix d'un colonialisme toujours plus poussé, au prix de très graves hypothèques sur l'avenir. Les grandes promesses de l'*American way of life,* tels la mobilité, le succès, la fortune, le pouvoir accessibles à tous ceux qui veulent s'en donner la peine, continuent d'exercer une influence prépondérante chez la plupart des nôtres, même si elles se résument le plus souvent au mirage de la carte de crédit. Ces promesses ont eu cet effet paradoxal d'assurer la stabilité des structures. On ne veut pas changer facilement les règles du jeu qui pendant longtemps ont été synonymes de prospérité. Face aux temps d'austérité qui s'annoncent, quelle sera la réponse?

Dans notre cas, le défi s'aggrave puisque nous avons surtout vécu des retombées de cette corne d'abondance, évidemment, à titre de domestiques. Poursuivre cette foulée nous enfoncerait dans ce fatalisme bien exprimé par le proverbe: « quand deux esclaves se rencontrent, ils médisent de la liberté ». Par ailleurs, bien d'autres réponses dites progressistes peuvent tout aussi bien accroître une psychologie de dépendance dans la mesure où elles comptent exclusivement sur des attitudes défensives.

Drôle de progressisme

Il faut nous arrêter un moment sur ce fond d'attitudes qui influencent profondément nos façons de voir la liberté, le droit ou la loi; le syndicalisme, l'économie et l'Etat, et plus encore nos façons de vivre ensemble, nos rapports sociaux et quotidiens. N'y a-t-il pas, par exemple, une sorte d'autodisqualification dans cette critique à la mode qui considère le gouvernement québécois et les institutions publiques un peu comme les multinationales, à savoir des exploiteurs étrangers au pays réel ? Réflexe colonial qui reporte sur lui-même « effectivement » les reproches qu'il ne peut adresser à l'autre inaccessible. J'ai souvent été frappé par le mépris que bien des radicaux manifestaient « en privé » à l'égard des Québécois. Mépris relié non à des travers réels, mais à des refus de la bonne réponse apportée par ces nouveaux clercs.

Etrange réponse à vrai dire, puisqu'elle ne dit rien de la nouvelle société qu'elle annonce; on le comprend puisque toutes les démarches ici restent exclusivement défensives. Mais on ne se dit pas moins constructeur de l'avenir. Voyez les discours idéologiques.

Tant parler de liberté, de créativité, de pouvoir et en même temps compter d'abord sur les fonctions de contrôle jusqu'au plus petit détail bureaucratique, syndical ou autre. Comme disait un malin: *maximum de contrôle et minimum de réalisation.* Voyez ce que les uns et les autres attendent de la Constitution, de la loi et du droit, du Code du travail, de la convention collective. Pensons au coût, au temps et aux énergies énormes que siphonnent les nouveaux rituels de négociation.

Et quand je songe aux nouvelles méthodes à la mode comme l'analyse institutionnelle, je me dis qu'on n'en finira plus de s'évaluer, de se redéfinir. Voyez tout ce qui en découle: communication de papier, comité d'étude à propos de tout, re-redéfinition de statuts, discussions interminables, etc. Ces longues procédures cachent hélas! souvent une indécision partagée par pas mal de monde. Mais n'oublions pas derrière cela le fond d'attitudes évoquées plus haut.

Ces attitudes défensives mobilisent les énergies et même des objectifs dits progressistes dans un sens sécuritaire, autoprotecteur, hyper-critique, uniquement revendicateur et souvent corporatif. Mettant ainsi en veilleuse comme un parent pauvre: la création collective; l'esprit d'entreprise, de décision, d'achievement; le risque social, financier ou autre; le goût de réaliser ensemble des choses intéressantes.

Je ne veux pas ignorer ici certains progrès indéniables en matière de conscience politique, d'éducation et de *know how*, de création institutionnelle, d'affirmation collective, sans compter notre admirable renouveau culturel. Je ne veux pas non plus sous-estimer les acquis en droits fondamentaux, en politiques sociales, là où le syndicalisme, par exemple, a joué un rôle clé.

Mais les attitudes défensives continuent de l'emporter quotidiennement au moment où il faudrait mobiliser les énergies pour créer des richesses collectives suffisantes. Combien d'entre nous, particulièrement de la nouvelle classe, sont prêts à risquer même un peu de leur revenu dans des chantiers collectifs ? Ce qui ne les empêche pas d'accuser les caisses populaires d'être aux mains des petits bourgeois de droite, et de ne pas risquer eux-mêmes des investissements créateurs. Toujours la critique des autres et jamais la moindre auto-évaluation sérieuse de soi-même, de son propre groupe idéologique. Ces gens dits progressistes posent la question : l'entreprise privée au profit de qui ? On pourrait reposer la même question, par exemple, à propos d'une éventuelle nationalisation de l'épargne, précisément en scrutant avec le plus d'honnêteté possible la question : qui profite déjà avantageusement des ressources publiques ? Uniquement le patronat ? Voyons voir.

Leçons d'ailleurs

A titre d'hypothèse, pourrions-nous nous demander s'il n'y a pas précisément dans le secteur public des signes avant-coureurs d'une évolution possible vers une situation déjà arrivée en certains pays: « Le système de propriété privée s'opposait pour bien des raisons, à l'avènement de la nouvelle classe, et son abolition s'avérait nécessaire à la transformation économique sur le plan national; la nouvelle classe pourvoit à cette transformation; elle tire son pouvoir, son prestige, son idéologie, ses moeurs d'une forme spécifique de priorité, la propriété collective — qu'elle gère et *se distribue* au nom même de la nation et de la société. » (M. Djilas, *La nouvelle classe dirigeante,* p. 53.)

Heureusement, nous n'en sommes pas là... Mais en certains secteurs publics, cadres et syndiqués des couches supérieures, en deçà de leurs conflits d'intérêts, jouent ce jeu complice. Non, je n'accepterai pas de me loger dans le ciel idéologique pur de ce prétendu progressisme où les tenants refusent obstinément d'avouer leurs propres intérêts, leurs pratiques, leur statut socio-économique. Il y a un vice fondamental dans cette démarche qui se fait fort de décrypter les intérêts cachés des autres pouvoirs, politiques, financiers ou autres.

J'ai le goût de paraphraser une autre remarque de Djilas: « Une simple comparaison des monopolistes-collectifs avec les grands possédants révèle bien des analogies et bien des différences: la nouvelle classe est vorace et insatiable comme l'est la bourgeoisie, mais elle n'en a pas les qualités de risque, d'initiative et d'ardeur à la tâche; elle est exclusive et pointilleuse comme l'aristocratie de jadis sans avoir sa noblesse et son sens du devoir. Pire encore, ces possesseurs collectifs se trompent sur leur propre compte en ce sens qu'ils croient promouvoir au lieu d'un monopole de classe une propriété publique au service de tous. » (p. 71)

Est-ce la description anticipée de ce qui pourrait nous arriver ? Je me demande si le fait que le secteur privé soit surtout aux mains des non-francophones ne masque pas la structure de classes interne à notre propre communauté. La typification de la domination et de l'exploitation se fait autour du pôle: capitalistes non francophones et leurs sous-chefs québécois, d'une part, et d'autre part les travailleurs qui leur vendent leur travail tout en achetant leurs produits. Voyez comment la CSN et la CEQ du secteur public concentrent toute l'attention du débat public sur cette réalité. On en vient à oublier le monde privilégié de la nouvelle classe publique où les cadres, les professionnels et les gros syndiqués des couches supérieures partagent un même style de vie, où les victoires des uns entraînent des gains pour les autres, et cela dans des combats qui semblent les opposer radicalement! Illusion d'optique qui n'existe pas dans le secteur privé où grève et lock-out coûtent souvent cher à ceux qui les décident.

Cette complicité des promus-parvenus est pour moi le plus grand scandale. Scandale peu avoué publiquement, précisément parce que la plupart de ceux qui tiennent un discours public y sont partie prenante. Quel chef politique, quel chef de syndicat, quel administrateur, quel journaliste, quel médecin, quel animateur, quel professeur avouera que son statut socio-économique est gonflé artificiellement, scandaleusement par rapport à notre véritable situation économique et surtout par rapport à cette masse d'un million et demi de Québécois qui tirent la langue ? Un tel silence a trop duré. Il fausse la plupart des discours et bloque une juste perception du pays réel.

Des réalités brutales

Aux abords des années 80, surtout au moment de faire face à des choix politiques importants, il faut accepter de faire entrer dans cette évaluation certaines questions laissées pour compte:

Dans quelle mesure ne nous sommes-nous pas trop limités à la création de structures tertiaires et à des luttes défensives, surtout entre nous, mis à part certains conflits très durs avec une multinationale ou l'autre ?

Dans quelle mesure la situation du secteur primaire et secondaire s'est vraiment améliorée en comparaison avec celle des années 50 où nous avons pris conscience de ce problème aussi crucial que l'aliénation culturelle et politique ?

Dans quelle mesure nous croyons tout obtenir par les revendications, par la lutte purement politique, par des codes, des chartes et des lois dans un univers déjà hyper-bureaucratisé, alors qu'il faudrait des aménagements plus près des dynamismes de la vie, de la liberté, de la créativité, de l'adaptation, de l'initiative ?

Dans quelle mesure s'applique chez nous cette remarque d'un économiste socialiste: « Les idées antiéconomiques sont aujourd'hui la norme de l'opinion publique » ? Ce constat est à rapprocher avec certains faits, tel ce programme de développement communautaire socio-économique (OSE) où il a fallu « gratter le fond des tiroirs » précisément là où la nouvelle classe se sert avantageusement sans tenir compte de la conjoncture économique, de la dette publique, de la structure de fiscalité et aussi, malgré les prétentions contraires, d'une plus juste distribution des revenus.

Par-delà ces préoccupations immédiates, il faut se rendre compte de l'urgente nécessité d'évaluer le cheminement suivi depuis la Révolution tranquille, en acceptant aussi d'évaluer le sillage où l'on a soi-même travaillé et lutté. C'est ce que j'ai tenté de faire.

En quelques années, nous avons entrepris au Québec des transformations qui se sont étalées ailleurs dans les sociétés occidentales sur une période beaucoup plus longue. Or, au moment où nous construisions d'une façon précipitée nos nouvelles structures, des changements profonds de tous ordres se produisaient dans toutes les sociétés du monde dit libre.

D'abord une révolution culturelle polymorphe qui éclatait en toutes directions. Une nouvelle conscience socio-politique qui allait de la guerre contre la pauvreté à la lutte des classes. Une expérimentation sociale très diversifiée, des comités de citoyens à l'assurance-santé. Une poussée concomitante du système transnational et des nationalismes, puis le fameux choc écologique qui accompagne une crise économique de moins en moins maîtrisable. Enfin cette escalade récente du procès de l'Etat, qui ajoute à notre propre perplexité puisque depuis la Révolution tranquille, nous en avons fait le levier central.

Dans un contexte historique aussi compliqué, où l'on ne peut plus, par exemple, dissocier le culturel, l'économique et le politique, où toutes les sociétés font face à une profonde redéfinition d'elles-mêmes, où il n'existe pas de réponses claires et efficaces, je me méfie des « purs » qui associent une critique parfois juste de la situation à la prétention de savoir où mener la société ... et les travailleurs. En doctrinaire du socialisme, Lénine voyait chez les hommes les frontières de communautés idéologiques plutôt que celles de classes, et dans ce contexte, « seuls les hommes dont l'unique profession était le travail révolutionnaire pouvaient construire le parti et la nouvelle société ». Cet exemple extrême nous montre comment dans une logique moins poussée, mais semblable, certains idéologues d'ici ne se sont pas posé la question de l'existence « objective » d'une nouvelle classe, au coeur même du syndicalisme.

Une tâche prioritaire

Je le redis. Nous n'éviterons sans doute pas une radicalisation de conflits à la mesure non seulement de toute notre société, mais du monde actuel. Mais c'est une illusion de croire que la radicalité de la lutte nous épargne le développement dès aujourd'hui de compétences communes, d'expériences positives en accord avec ce que nous anticipons et surtout ce qui pourra mieux se préciser dans des démarches au moins aussi constructives que défensives. J'en veux, pour exemple, une problématique sociale trop exclusivement centrée sur le « conflit de travail » comme tel, sans investigation sérieuse, de part et d'autre, de nouvelles pratiques sociales et économiques du travail. Voilà une expérience quotidienne fondamentale qui est en train de se dégrader au point où tout à l'heure même un changement ou une révolution des structures ne seront plus possibles, parce que les travailleurs eux-mêmes auront perdu les atouts positifs de pratiques de travail fécondes en solidarité comme en excellence.

Administrations et syndicats refusent de véritables participations en évoquant, évidemment, des raisons différentes et parfois opposées. Or, à long terme, tout le monde y perd. Et peut-être plus les travailleurs eux-mêmes. On n'en arrivera jamais ainsi à donner au travail, au corps démocratique et aux hommes eux-mêmes le poids politique prioritaire face au capital et aux structures. Les administrateurs aussi se placent dans une situation contradictoire puisqu'ils demandent aux employés de discerner ce qui est administrable ou pas, ce qui peut convenir à l'ensemble de l'institution, et en même temps ils tiennent les employés en dehors de toute possibilité effective de comprendre la situation de la firme ou des services concernés.

C'est donc un cul-de-sac provoqué des deux côtés. Bien sûr, il y a toujours conflits d'intérêts, rapports de force, jeux de pouvoir. Mais dans la mesure où l'on atteint dans bien des cas la limite critique d'une complète neutralisation, dans la mesure où en même temps tous veulent que l'institution continue d'opérer, il faut envisager logiquement un minimum de compromis. C'est précisément le rôle d'une démarche politique adulte que d'assurer une cohérence de base même aux conflits les plus radicaux. Mais on « rêve en couleur » lorsqu'on croit viable une institution où deux pouvoirs absolus et exclusifs s'affrontent : le droit de gérance intégral vs le pouvoir total aux employés. Même dans le cadre d'une entreprise autogérée, l'expérience nous montre que ce scénario mène nulle part.

Nous sommes enfermés actuellement dans des problématiques sociales et idéologiques qui ne seraient pas viables dans n'importe quel régime. Qui ose l'avouer de part et d'autre ? Oh ! je sais, par exemple, l'énorme défi de changer notre système économique actuel et en même temps de créer une économie autochtone solide, efficace et démocratique. Mais ce problème économique, aussi important soit-il chez nous, est tributaire de bien d'autres facteurs qui ne sont pas économiques. J'ai déjà signalé un ensemble d'attitudes en tous domaines qui nous empêchent de développer une culture et une pratique démocratique constructive. Nous pratiquons quotidiennement une disqualification mutuelle, au grand dam d'une situation historique très difficile qui exige, du moins pour le moment, une volonté collective d'appuyer tous nos dynamismes authentiques partout où ils se trouvent. Une stratégie des talents quoi ! Or c'est précisément le parent pauvre de nos investissements.

Nos énergies passent surtout dans des procès internes interminables au grand profit des autres qui agissent, construisent. Une psychologie de locataire ne créera jamais d'elle-même une dynamique de propriété collective. Une pratique unilatérale de conflit n'engendre pas plus une solidarité de chantier autrement plus complexe. A un fort mouvement de libération doivent correspondre d'aussi fortes compétences de création collective. Cette dissociation est tragique chez nous.

Un certain radicalisme, s'il était logique, devrait prendre le maquis. Or, la plupart des radicaux veulent obtenir le meilleur niveau de vie possible et poursuivre en même temps la visée de la cassure du système. Cette pseudo-révolution apparaîtra de plus en plus comme une imposture, sinon un luxe aux yeux de la majorité des travailleurs. Dans un tel contexte, la population cherchera sa sécurité plutôt du côté des pouvoirs établis. Elle en viendra même à bouder les luttes les plus nécessaires et vitales. N'est-ce pas déjà commencé ?

Certains «progressistes» sont d'une lucidité extraordinaire pour expliquer l'échec de solutions libérales et socio-démocrates face aux inégalités sociales. Mais leurs réponses sont d'un simplisme incroyable. Car si on se réfère à leur propre logique, les gains syndicaux, par exemple, ne changent rien à la situation réelle, pas plus que les politiques libérales ou socio-démocrates. Eux aussi sont donc de vilains réformistes ! Pour ne pas s'avouer leur propre contradiction, ils vont jouer la carte de la pureté idéologique, du refus global, de la mise en échec la plus permanente possible, sans jamais préciser la société nouvelle qui correspond à cette pureté. Peut-on mieux miner sa propre crédibilité politique ? D'ailleurs, le refus, chez plusieurs, de risquer un parti politique est très révélateur. Il ne reste à vrai dire que la stratégie de mise en échec qui utilise à fond les frustrations coloniales des nôtres. Peu à peu se crée une ambiance de procès permanent, de remise en question de tout au moindre pas qu'on fait. Bref, une tragique inhibition de l'action quotidienne. On n'agit ensemble que dans les temps d'arrêt (quel paradoxe !), que dans des effervescences collectives provisoires. Bref une solidarité intermittente exclusivement faite d'oppositions, de revendications; une socialité exercée uniquement sous mode de grèves, de campagnes, de manifestations ou de congrès. Voyez le peu de participation, par exemple, aux assemblées régulières. Voyez surtout la pauvreté des rapports quotidiens.

A ne jeter que des pierres, on ne construit rien, même sur son propre terrain. Peut-être le temps est-il venu d'essayer de les rassembler pour édifier ce qu'on proclame idéologiquement. Plus qu'un contrat social à redéfinir ou à créer, ce sont de nouvelles pratiques qu'il faut expérimenter, déjà avec un esprit moins manichéen et un goût plus évident de vivre et de créer. Ce qu'il y a de sûr, c'est qu'on ne construit pas un pays et une économie uniquement avec des fonctions défensives de contrôle, de sécurité nationale ou d'emploi, de critique idéologique, de droits proclamés, de revendications sans discernement. Eh oui! *A ne lancer que des pierres, on finit par désapprendre à les rassembler. Moi aussi, je dois m'en souvenir. J'ose espérer que nous saurons donner des mains aux poussées récentes d'affirmation collective, y compris dans le syndicalisme.*

Une interpellation

J'ai voulu surtout interpeller ce monde des promus qui a une énorme responsabilité historique, non seulement parce qu'il a tant reçu de notre société, mais parce qu'il est en train de compromettre gravement les conditions de base pour en arriver à un autodéveloppement libérateur, audacieux, juste et fécond. Le temps est venu pour la nouvelle classe de remettre en travail acharné, en épargne risquée, en compétence et aussi en austérité le statut privilégié qu'elle s'est donné.

Batailler pour abaisser encore la semaine de trente heures, j'insiste, c'est déjà indiquer qu'on ne veut pas se commettre dans aucun chantier collectif exigeant, dans aucune décision politique compromettante, qu'il s'agisse de souverainisme, de socialisme ou même d'un libéralisme entreprenant. Sans ces conditions minimales d'autoinvestissement, de tels discours idéologiques ne valent pas plus que la politique des jeux et spectacles du prince de Montréal.

Un énorme coup de barre est à donner, il commence par ce que nous sommes prêts concrètement à changer dans nos comportements et nos pratiques. Et, de grâce, qu'on oublie un moment les enquêtes royales, ou autres, chargées de trouver de nouveaux mécanismes dans une re-restructuration plus sophistiquée. Questions et défis cruciaux ne sont pas de cet ordre.

Pendant un moment j'ai cru que nous ne savions pas ce que nous voulions. Aujourd'hui, j'ai plutôt la conviction que la vraie question est celle-ci: *Voulons-nous vraiment ce que nous savons?* Car notre situation a été analysée, expliquée, diffusée à longueur de journée dans tous les media, dans mille et un colloques, congrès, rapports savants et quoi encore!

Comme dans la vie de tout homme à des tournants importants, l'avenir d'une société dépend en définitive d'une volonté décisive et soutenue d'aller au bout de ce qu'on croit le meilleur chemin. Or bien des nôtres, peu importent leurs orientations idéologiques, veulent ménager la chèvre et le chou. En ce domaine la nouvelle classe devient la norme, l'idéal à atteindre: un haut standard de vie, un système poussé de sécurité, une possibilité de retraite anticipée et déjà bien coussinée, à 55 ans.

Si tel est le cas, si on en reste là, les propos politiques de tous ordres sont verbiages et souvent mensonges. Et bientôt nous aurons même perdu la fierté de nos pères qui mangeaient les fruits qu'ils avaient eux-mêmes cultivés. Il est temps, il se fait même très tard, de bâtir notre propre économie et notre légitime place dans ce vaste continent.

J'ai fini de nous flatter la bedaine avec la noble culture québécoise. Je ne nie ni le prix, ni la qualité, ni la force historique qu'elle porte. Mais son avenir est vraiment compromis si nous perdons la fierté, la dignité, la volonté de nous risquer (!) à boulanger notre propre pain, à partager ce que nous avons nous-mêmes créé. Peut-être y trouverons-nous en même temps ce qu'il y a de meilleur au fond de nous... une fibre plus solide, une solidarité plus vraie, une âme que nous sommes en train de perdre dans des pratiques et des objectifs qui ont tous en commun une toujours plus grande dépendance. Allons-nous devenir un peuple de purs revendicateurs précisément au moment où l'histoire nous convie à la tâche très ardue de construire un nouveau pays?

Postface

Quatre questions clés

1. Un avenir possible pour les jeunes...

Voilà peut-être une des rares interpellations auxquelles les sociétés riches peuvent être sensibles pour le moment. Bien sûr on devrait s'attendre à ce que le drame des classes pauvres, du Tiers-monde et des énormes enjeux planétaires soit le premier catalyseur de la conscience politique. Il faut bien constater l'échec d'une tentative de sensibilisation en ces trois domaines. Ce n'est pas une raison pour démissionner, je retiens plutôt l'interpellation initiale parce qu'elle est davantage susceptible de déclencher une première prise de conscience, une volonté de dépassement.

Chez nous comme ailleurs, l'adulte est atteint dans le plus vif de sa chair et de son esprit, quand il y va de ses propres enfants. La psychologie nous a appris que l'homme relativise bien des choses en vieillissant; mais il en est une qui garde toujours un fort impact de conscience, à savoir les êtres qu'il a mis au monde et qui l'ont amené à donner le meilleur de lui-même. Cette dynamique de base se heurte à un avenir sociétaire plus ou moins bloqué. Voilà où le bât blesse le plus durement. Le choc peut être déclencheur d'une nouvelle volonté politique.

J'ai connu des engagements profonds qui sont nés de ce choc au plus profond de l'aventure d'hommes et de femmes d'ici. Face à un monde occidental gavé, décadent, blasé, ils se sont demandé ce qu'ils allaient offrir comme motivation et dynamisme d'avenir à leurs propres enfants. Certains ont vu dans le pays à bâtir une des voies privilégiées pour un dépassement qualitatif.

Certes, l'attention actuelle se porte sur le troisième âge. Le vieillissement accéléré de la population va exiger des politiques sociales de plus en plus poussées. Ce défi énorme ne doit pas cependant masquer l'autre aussi crucial ; un avenir possible pour les générations montantes... une décision ferme d'investir dans des dynamiques de long terme... et aussi une acceptation de ne pas maintenir une prospérité artificielle à n'importe quel prix prélevé sur l'avenir des jeunes. Toute une génération d'adultes est en train, privément et politiquement, d'hypothéquer la prochaine génération. C'est pour moi le plus grand scandale de l'heure. Chez nous et ailleurs, plusieurs adultes sacrifient la responsabilité la plus évidente, la plus vitale de leur propre aventure, celle qui est au plus profond de leur fibre, de leur conscience, de leur expérience de vie, de leur rapport fondamental au monde et à l'avenir.

Or, quelle tristesse de voir tant de solutions juridiques, politiques, socio-économiques faites pour régler des problèmes et des irresponsabilités d'adultes, souvent sans aucune référence au sort des enfants. Même le syndicalisme cède au corporatisme de l'atelier fermé aux jeunes. Dans les prochains dix ans, plus de 700 000 candidats au travail chercheront un emploi. A-t-on mesuré les conséquences tragiques d'un chômage massif chez les jeunes (chez nous, près de 50% des chômeurs) ? On leur aura cassé les reins à un moment crucial de leur vie.

Il faut relier cette grave situation à une responsabilité socio-économique et politique majeure, celle d'assurer les investissements nécessaires à la création d'emplois. Est-ce bien le souci prioritaire de ces promus de la Révolution tranquille qui siphonnent la grande part des ressources collectives pour une consommation de plus en plus «sophistiquée» ?

Un maximum gagné à la fois sur le dos des jeunes et de ce million de Québécois aux frontières de la pauvreté. Je voudrais rattacher la question soulevée ici au défi historique des Québécois d'aujourd'hui. Avenir des jeunes et avenir du Québec, deux perspectives qui ont plus d'un rapport entre elles, même si elles ne se recouvrent pas.

2. Les enjeux profonds de notre affirmation politique

D'énormes efforts sont consacrés pour redéfinir nos rapports avec de puissants voisins. La révision profonde du statut politique du Québec est nécessaire. Elle véhicule une dynamique historique d'affirmation collective qui constitue un atout pour l'avenir. Pour la première fois, peut-être, nous forçons notre destin par-delà des objectifs de survivance, d'autodéfense ou de pure revendication. Cet élan positif a déjà fait débloquer bien des culs-de-sac que les timides compromis d'hier avaient laissés entiers.

Une retraite ici serait désastreuse jusque dans nos attitudes les plus profondes face à l'avenir, à notre identité, à notre volonté de bâtir ensemble. La confiance en nous-mêmes n'est pas une question purement sentimentale comme le laissent entendre à demi-mot les partisans de réformettes constitutionnelles. Cette confiance a un sens politique et historique qui déborde tout en l'assumant la psychologie dynamique de fortes individualités.

Des esprits libéralistes de chez nous n'ont pas fait le lien entre leur tiédeur sociale, politique et historique ou spirituelle, d'une part et d'autre part, le décrochage, le désintérêt et le scepticisme de leurs propres enfants. Bien sûr, cette faillite doit aussi beaucoup au creux de civilisation que le monde occidental vit présentement. Mais combien de ces adultes ont compris la qualité de motivation que pouvaient faire naître chez leurs propres jeunes la responsabilité et l'entreprise passionnante de construire une société, des institutions, des cadres de vie qui correspondent à cette nouvelle conscience culturelle des dernières décennies ?

C'est ignorer l'histoire que de considérer comme un slogan creux, un mythe funeste, l'amour du pays que l'on porte en soi. La folklorisation de certaines communautés historiques et ses conséquences débilitantes devraient davantage nous alerter. D'aucuns raisonnent ici comme si les excès de l'amour condamnaient cette force fondamentale de l'aventure humaine. Combien d'oeuvres de civilisation portaient, entre autres choses, une identité culturelle, nationale qui les avait «radicalement» motivées, inspirées, marquées?

Cet attachement au Québec dans la foulée d'une extraordinaire créativité culturelle constitue un lieu qualitatif de motivations fortes, de responsabilités signifiantes et engageantes, d'intérêt à la chose publique, à la politique. Or, ces qualités semblent être dangereusement compromises dans bien des sociétés occidentales si l'on en juge par les résultats des recherches et enquêtes menées auprès des générations montantes. Résultats qui ne sont pas étrangers à la dislocation des solidarités de base, à l'assèchement des racines historiques et culturelles, à l'univers frelaté et sans visage de centres commerciaux tous pareils d'une région à l'autre, d'une société à l'autre dans les pays riches.

Dans notre débat politique, il ne faudra pas perdre de vue cette dramatique où se joignent souterrainement le vide spirituel, la médiocrité morale, la crise d'identité individuelle, la déchirure des tissus sociaux de base, l'éclatement des institutions et l'absence de cohésion minimale de l'ensemble de la société. Le problème traverse de part en part toutes les dimensions de la vie: du psychologique au politique, du social à l'économique, du culturel à l'historique.

De même en positif, une intelligente pédagogie politique devrait établir des raccords pertinents entre cette volonté nouvelle de se réapproprier un projet personnel de vie plus épanouissant et fécond, ces initiatives collectives riches et diversifiées qui naissent à la base quotidienne en différents milieux, institutions et régions, et enfin ce défi sociétaire et politique qui a valeur de tournant historique peut-être décisif. Voilà trois élans qui peuvent se qualifier, se renforcer l'un l'autre. Notons ici que ces dynamiques d'autonomie et d'initiative doivent être capables de reconnaître l'autre différent, de vivre avec lui, de rivaliser en excellence. On ne saurait oublier les dangers d'une certaine québécitude pure qui fuit le défi de devenir des partenaires de plain-pied.

Mais j'ai voulu signaler ici qu'un tel objectif ne peut être atteint sans une forte identité personnelle et collective.

S'il y a un aveuglement quelque part, c'est surtout chez ceux qui n'ont pas compris ou qui refusent de comprendre les rapports entre ces problèmes, entre ces dynamismes que je viens de pointer.

Mais une troisième question surgit ici en relation étroite avec les deux autres.

3. La maîtrise de notre évolution interne

Comment allons-nous redéfinir notre société en relation avec les autres si nous n'arrivons même pas à maîtriser l'évolution interne de la nôtre ? Qu'allons-nous mettre dans la maison nouvelle ou dans une structure politique « rénovée » plus ou moins radicalement ? Qu'en est-il de la qualité et de la fécondité de notre pratique démocratique interne ? Comment se vivent les combats entre les forces « québécoises » en présence ? Arrivons-nous à rendre plus efficaces, plus justes nos propres institutions là où nous sommes un peu plus chez nous ? Et plus profondément, vivons-nous ensemble, agissons-nous ensemble d'une façon qui prépare un avenir possible aux jeunes, qui les incite à se dépasser, à servir, à développer un sens du travail et de l'excellence qui soit vraiment dédié à la communauté et en particulier aux plus faibles ? Qui ose encore parler d'une valeur comme le service, même à la maison et à l'école, surtout quand il s'agit du métier, de la profession et de la société comme telle ? Même les plus socialisants se moquent de cette « veule vertu d'hier ».

Je ne puis cacher ici ma profonde inquiétude quand je rapproche cette érosion du sens du service et cette dégradation des services publics chez nous. Pour mieux secouer pareille inconscience, je serai plus mordant. Voyons quelques exemples.

L'inflation charrie d'énormes transferts qui enrichissent les uns et déclassent les autres. Les banques, par exemple, ont fait des profits fabuleux au cours des dernières années. Le premier ministre Trudeau se portait à leur défense en Chambre récemment. Il en faisait nos grands bienfaiteurs.

Des forces dites progressistes et anti-capitalistes du Québec préfèrent courageusement s'attaquer aux caisses populaires, là où une autre enfilade de grèves de la nouvelle classe commence. Pas les banques, mais nos caisses, après nos écoles, nos hôpitaux. Et cela, au nom de la solidarité et de la pureté idéologique, car entre la caisse du coin et une multinationale il n'y a aucune différence.

D'ailleurs de cette opération naîtront des effets d'entraînement... bénéfiques pour la cause! Toutes nos institutions étant aussi viciées les unes que les autres, nous pouvons frapper sans nous tromper, n'importe où, n'importe comment, n'importe quand. Et pour conscientiser une population aussi aliénée, vaut mieux la secouer sur des terrains où elle est un peu plus chez elle. Une telle stratégie porte un sens politique très profond; en effet elle utilise dans le bon sens notre côté masochiste de colonisés. Ce qui est beaucoup plus subtil que des questions comme celle de la crédibilité syndicale à long terme. Il faut pousser l'écoeurement jusqu'à la limite critique de la grande bataille finale. Et ça presse! Le meilleur entraînement militaire, c'est la mutinerie au sein de la troupe.

La révolution de la société commence par le bordel dans sa propre maison. Allons-y! les caisses marquent un ralentissement par rapport aux banques, c'est le temps de frapper le grand coup. Les employés de caisses sont mieux payés que ceux des banques, voilà un signe immanquable d'une plus forte conscientisation!

Au fond, l'idéal, ce serait que les caisses disparaissent de la carte, alors commencerait un combat plus pur, plus net, plus total contre les banques et le système. Mais les Québécois sont encore trop aliénés pour comprendre ça; il faut leur faire mal, d'abord dans les services essentiels, puis là où ils sont complices de traîtresses fiertés: les caisses populaires, l'Hydro, les CLSC, l'UQAM, la nation... « t'sé, je veux dire, y a pas de troisième voie O.K. ».

Et s'il y avait dans tout cela un effet pervers de démobilisation à long terme, même au plan syndical. Le rare quorum de tant d'assemblées régulières est un signe avant-coureur. Il y a tellement loin entre le discours politique des centrales et la pratique revendicative effective où l'on se solidarise seulement au moment où ses intérêts immédiats sont concernés. Ce grand écart mine la crédibilité politique et suscite cynisme et défiance non seulement dans la population mais aussi chez les travailleurs syndiqués eux-mêmes.

Que de fois j'ai entendu cette remarque cynique: « On les laisse là au sommet parce qu'ils vont nous chercher le maximum... leur idéologie, on s'en fout. » A long terme, cette grave distorsion peut amener les ennemis du syndicalisme à pointer du doigt la fiction démocratique de certaines centrales syndicales où tout le monde sait pertinemment que la grande majorité des membres ne partage pas l'idéologie de l'establishment. La Centrale des enseignants du Québec est un exemple manifeste de cette situation qui pourrait lui coûter cher plus vite qu'on le pense. Tel un retour inattendu au corporatisme professionnel, et plus profondément un cynisme dans l'utilisation quotidienne du syndicat à des fins purement individuelles, un cynisme aussi dans le comportement politique. Et Dieu sait si le peuple d'ici peut céder à la vieille tentation de considérer comme pourri tout ce qui touche la politique.

Au niveau quotidien, les problèmes sont encore plus graves. Jamais la responsabilité institutionnelle comme telle n'a été aussi compromise tant chez les différentes composantes du personnel (en lutte les unes contre les autres) que chez les usagers eux-mêmes. Des contradictions idéologiques et politiques, on passe aux contradictions institutionnelles. Or il s'agit ici du fonctionnement quotidien de notre société, particulièrement dans le secteur des services. Les culs-de-sac en ce domaine ont des répercussions très graves sur la qualité de la vie individuelle et collective. Encore là se produit une usure psychologique et morale qui mine les conditions nécessaires pour faire face au tournant très difficile que j'ai évoqué plus haut.

Déjà, plusieurs se demandent si dans le cadre des réformes de la Révolution tranquille nous avons vraiment développé notre propre pédagogie du changement historique. Pareille question refait surface dans cette nouvelle étape qui sera autrement plus complexe et exigeante en chantiers audacieux comme en luttes radicales. Si les principaux véhicules des forces de base maintiennent ces contradictions débilitantes que je viens de signaler, nos objectifs d'autodéveloppement seront gravement compromis, tout autant que la volonté politique d'assumer certains risques politiques majeurs et leurs correspondants socio-économiques. Je répète ici la question peut-être la plus brutale de notre tournant actuel: devenons-nous une société de purs revendicateurs ou un peuple entreprenant, capable de faire son histoire, sa politique, son économie, d'une façon juste, sans exclusive? N'y a-t-il pas un énorme malentendu dans ce prétendu progressisme revendicateur qui rassemble toutes les mesures sociales des sociétés les plus riches et réclame d'un coup leur réalisation immédiate comme si nous étions les plus cossus de la terre? C'est aberrant. D'où vient pareil aveuglement, pareil décrochage de la réalité?

4. Un renversement de perspective qui passe par une nouvelle éthique

Nous en sommes venus à définir unilatéralement l'expérience humaine à partir de systèmes, de modèles, de grilles et d'appareils. Celle-ci se rebiffe. Elle veut se comprendre, se communiquer, se transformer à partir d'elle-même. Qu'est-ce qu'une société où les gens concernés, les parties en cause n'arrivent même plus à se parler si ce n'est par intermédiaires, par spécialistes interposés. Dialogue d'appareils. Combats de technocrates. Conflits d'états-majors. Disputes de juristes.

Certaines expertises sur les conflits de travail ne voient pas d'autre issue que l'intervention de groupes d'experts «neutres» qui vont proposer de nouveaux mécanismes susceptibles de définir les prochaines législations. Toujours le même scénario, d'autant plus inquiétant qu'il rencontre un gouvernement en train de multiplier les législations dans tous les domaines.

Pendant ce temps nous investissons peu pour apprendre à assumer problèmes et conflits, responsabilités et solutions là où ils se posent, là où l'action se passe, là où on peut vérifier sa pertinence, répondre de ses actes et exercer une pratique démocratique de base. J'ai noté que les expériences les plus intéressantes en divers secteurs sont nées au moment où l'on s'est dégagé des lourds rituels administratifs, syndicaux et même professionnels pour se concentrer sur certaines tâches communes, sur des projets collectifs mobilisateurs et signifiants. On s'est délesté un moment des moyens lourds pour constituer des unités légères et mobiles, pour enclencher l'action des commettants plutôt que des processus d'experts. Mais ces entreprises sont exceptionnelles.

Il faut revoir la logique des rapports professionnels-clients, institutions-usagers, services-consommateurs, et surtout leurs conséquences graves: dépendance, impuissance, irresponsabilité, sécurisme, frustration. On ne peut se limiter à la lutte nécessaire de pouvoir qui n'a jamais d'elle-même vaincu les structures hiérarchiques, et créé des citoyens, des peuples capables de se prendre en main. Nous n'avons pas développé des stratégies d'implication par-delà une critique idéologique purement défensive. Il est aussi stupide de disqualifier les outils scientifiques, technologiques et organisationnels efficaces, y compris ce génie des ensembles qui ne se ramène pas aux travers bureaucratiques ou technocratiques. Chez nous, l'organisation tout autant que la pratique démocratique ne brillent pas par leur efficacité. Tant parler de créativité et tant médire du rendement et de la productivité. Des immigrants sans le sou ont réussi des choses étonnantes dans notre propre milieu. Nos solidarités se nourrissent d'oppositions aux succès des autres, et même des nôtres. Voyez quelles «causes» nous mobilisent. Un chassé-croisé de croisades internes qui nous épuisent au point de laisser toute la place aux initiatives des investissements étrangers.

Face à une prospérité menacée, sinon très problématique, plusieurs pratiquent le «sauve-qui-peut». Par exemple, l'inflation justifie n'importe quelle revendication, tout en nous ramenant à la loi des plus forts. Il y a ralentissement économique, mais personne ne veut y perdre. On ne renonce pas facilement à une longue prospérité dans les budgets privés comme dans les budgets publics.

La conscience est à la liberté, mais le comportement est à la sécurité. Etrange sécurisme qui a très peu changé les habitudes de consommation maximale. «Heureusement», semble suggérer un ministre des Finances, car la roue doit tourner assez vite pour se maintenir debout. Mais les solutions ne témoignent pas moins de contradictions toutes inflationnistes. Diminuer les taxes, s'endetter davantage, acheter plus et la production reprendra. Quand le centre commercial va, tout va. On peut tout remettre en cause dans cette société libérale, mais pas ça. Même les $300 milliards de dépenses annuelles en armements se justifient par les impératifs économiques. Fi des différences d'idéologie, de régime. La Chine de Mao entre dans la farandole avec le Japon et l'Allemagne. Les contrats se succèdent. Adam Smith continue de régner.

Au printemps 78, Soljenitsyne, ce prophète réactionnaire fils de Dostoïevski, venait tenir un discours « détonnant » à la Harvard Business School. Il était question de notre médiocrité morale, du déclin de notre courage, de la décadence occidentale quoi ! Un autre intellectuel pessimiste. On dit même que c'est la nouvelle mode à Paris: le moralisme du refus. « Qui n'est pas de droite ? » Question qu'un ouvrage récent posait à la suite d'une étude comparative de villes aux mains de leaderships soit libéraux, soit socio-démocrates, soit communistes.

Bon gré mal gré, ici comme ailleurs, il faudra reprendre les choses par le fond parce que toutes les solutions, malgré la diversité des idéologies en lutte, semblent se retrouver au creux de la même ornière. Or quand on gratte un peu plus profondément les problèmes sociaux, économiques, politiques, on rencontre la question éthique. Il est temps de la réintroduire dans le défi politique. Laissée à elle-même — j'en conviens — elle vire à un moralisme stérile; mais resituée dans des responsabilités historiques importantes, elle devient un ferment puissant et indispensable.

Ma petite expérience m'a convaincu que la démocratie repose fondamentalement sur une éthique très, très exigeante. Dans le jeu des libertés, des pouvoirs, des intérêts, tôt ou tard on fait face à la maturité morale et politique des parties en présence ou en lutte, et surtout des citoyens. L'éthique, ici, est le lieu humain spécifique du jugement politique, de la responsabilité individuelle, d'un sens aigu de la justice sociale et de la capacité d'aller au bout des entreprises. Les orientations idéologiques, politiques et scientifiques récentes ont contribué à déclasser, à moquer ou à marginaliser cette instance d'humanité par excellence.

Voilà les quatre questions clés et inséparables que nous devons aborder lucidement et courageusement au moment où nous prenons des décisions politiques cruciales pour notre avenir.